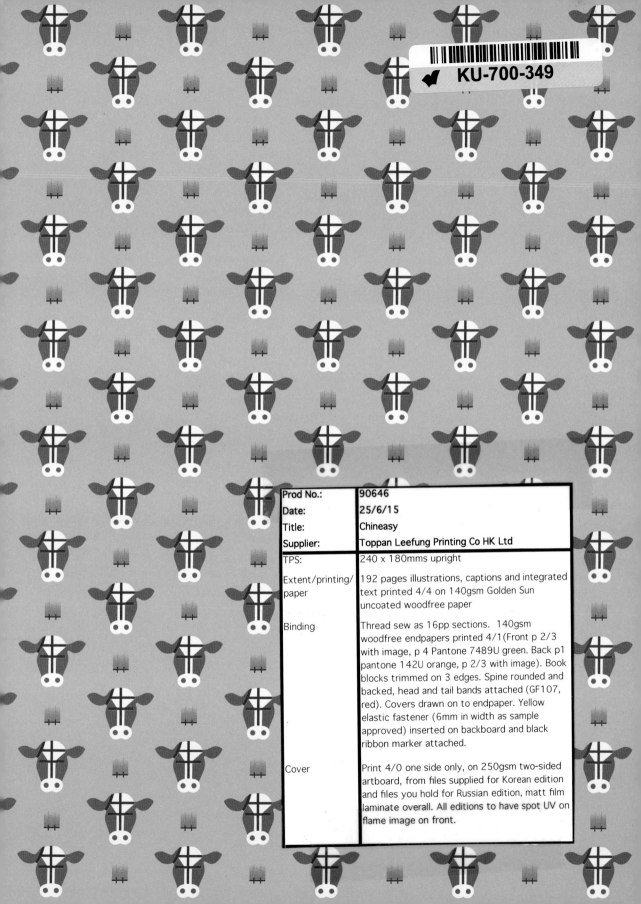

Prod No.:	90646
Date:	25/6/15
Title:	Chineasy
Supplier:	Toppan Leefung Printing Co HK Ltd
TPS:	240 x 180mms upright
Extent/printing/ paper	192 pages illustrations, captions and integrated text printed 4/4 on 140gsm Golden Sun uncoated woodfree paper
Binding	Thread sew as 16pp sections. 140gsm woodfree endpapers printed 4/1(Front p 2/3 with image, p 4 Pantone 7489U green. Back p1 pantone 142U orange, p 2/3 with image). Book blocks trimmed on 3 edges. Spine rounded and backed, head and tail bands attached (GF107, red). Covers drawn on to endpaper. Yellow elastic fastener (6mm in width as sample approved) inserted on backboard and black ribbon marker attached.
Cover	Print 4/0 one side only, on 250gsm two-sided artboard, from files supplied for Korean edition and files you hold for Russian edition, matt film laminate overall. All editions to have spot UV on flame image on front.

Chineasy™

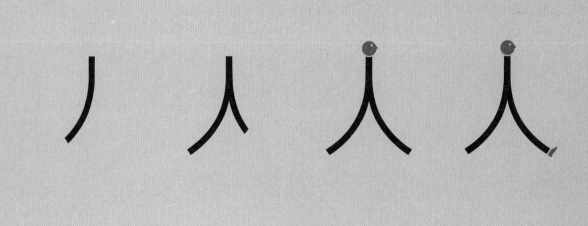

ШАОЛАНЬ СЮЭ 薛曉嵐

Chineasy™

КИТАЙСКИЙ — ЛЕГКО!

Иллюстрации НОМА БАРА

Перевод с английского

2-е издание

Москва
«Манн, Иванов и Фербер»
2015

УДК 811.158
ББК 81.2Кит
С98

Посвящается Мулань (慕嵐) и Муань (慕安)

Издано с разрешения Thames & Hudson Ltd, London

Chineasy™ is a trademark of Chineasy Ltd, London

Перевод с английского Ирины Воскановой

На обложке: иероглиф 火 («огонь»)

Сюэ, Шаолань

С98   Chineasy. Китайский — легко! / Шаолань Сюэ ; с иллюстрациями Нома Бара ;
пер. с англ. [Ирины Воскановой]. — 2-е изд. — М. : Манн, Иванов и Фербер, 2015. — 192 с. : ил.
ISBN 978-5-00057-620-5

Китайские иероглифы выглядят совершенно непонятными на вид. Кажется, что разобраться
в их сплетениях почти невозможно. Но с этой книгой вы быстро научитесь в них ориентиро-
ваться и поймёте принцип их чтения. Ваш словарный запас после её изучения составит око-
ло 400 слов. Запомнить их будет легко: информация подаётся последовательно и с юмором,
а сами иероглифы в буквальном смысле имеют каждый своё лицо.

УДК 811.158
ББК 81.2Кит
С98

Автор: Шаолань Сюэ 薛曉嵐
Дизайн: издательство Brave
New WorldPublishing Ltd
Арт-директор: Криспин Джеймисон
Иллюстрации: Нома Бар

Рассказ на стр. 159—179 основан
на музыкальном произведении
Сергея Прокофьева «Петя и волк» (1936).

Подписано в печать 10.05.2015
Тираж 4000 экз. Заказ 1916
Отпечатано в Гонконге

ООО «Манн, Иванов и Фербер»
www.mann-ivanov-ferber.ru
www.facebook.com/mifbooks
www.twitter.com/mifbooks

Главный редактор Артем Степанов
Ответственный редактор Юлия Потемкина
Литературный редактор Дарья Денисова
Верстка Екатерина Матусовская
Корректоры Юлия Молокова,
Юлиана Староверова

Перевод на русский язык выполнен с издания
Chineasy. The New Way to Read Chinese by ShaoLan. Thames & Hudson Ltd, UK, 2014
Chineasy™ is a trademark of Chineasy Ltd, London

ISBN 978-5-00057-620-5

СОДЕРЖАНИЕ

1: ВВЕДЕНИЕ

2: ОСНОВЫ

РАССКАЗ

3: СПРАВКА

— один (yi¹)
Это первая
иероглифическая
черта, с которой
начинается изучение
китайского языка.
Она означает «один»

1

ВВЕДЕНИЕ
Дочь каллиграфа
Как пользоваться книгой

Дочь каллиграфа

Я родилась в Тайбэе, на Тайване. Дочь каллиграфа и художника-керамиста, я выросла, окруженная искусством, и прониклась глубокой любовью к красоте китайского языка. Чтение и письмо на китайском языке — часть моей личности и один из способов познания мира. Но только став мамой, я осознала, насколько труден мой родной язык для изучения, и остро прочувствовала отличие и сходство между западной и восточной культурами.

Китайский язык считается одним из самых трудных языков для изучения. В основном из-за большого числа иероглифов и сложности их освоения. Начав обучать китайскому своих детей, родившихся в Великобритании, я поняла, насколько сложны иероглифы для тех, чей родной язык — английский. Для моих детей это было мучением! Поэтому я много лет искала легкий и веселый способ обучения их китайскому языку.

В итоге я поняла, что ни один из них нельзя назвать интересным. И я сделала то, что сделал бы каждый предприниматель: разработала собственный метод изучения иероглифов — Chineasy. И знаете что? Он работает.

Почему Chineasy?

Китай — родина древних традиций, выдающегося искусства и в наши дни его экономика одна из сильнейших в мире. Поэтому неудивительно, что так много людей сейчас переезжает работать или жить на Восток. Мир с большим вниманием наблюдает за Китаем, Тайванем, Японией, Южной Кореей и другими азиатскими странами, по мере того как они привлекают все больше туристов и становятся все более и более значимыми культурными, финансовыми и промышленными центрами.

Называйте меня оптимисткой, но я рассматриваю слияние этих двух культур, Востока и Запада, как инструмент для создания более развитого и образованного мира. Я также полагаю, что для стабильного экономического роста Восток и Запад должны лучше понимать друг друга. Однако есть одно огромное препятствие, которое мешает их эффективному общению, их связи на глубоком культурном уровне. Это препятствие — Великая стена китайского языка.

Мой метод дает возможность легко изучать иероглифы с помощью простых иллюстраций. Волшебная сила его в том, что, выучив один небольшой набор составных элементов (см. стр. 10), вы сможете создавать новые иероглифы и слова. А если вы выучите несколько наборов составных элементов, ваш процесс обучения поднимется на совершенно новый уровень.

Приложив незначительные усилия, студенты смогут научиться читать несколько сотен китайских иероглифов и слов и добьются более глубокого понимания исторического и культурного контекста словарного состава языка. Несмотря на то что существуют десятки тысяч китайских иероглифов, для базового понимания китайской литературы и погружения в китайскую культуру и искусство вам потребуется всего несколько сотен иероглифов.

Главная цель Chineasy — сократить расстояние между культурами, сбросить покров таинственности с китайского языка, который служит барьером для множества людей, включая моих детей!

Метод Chineasy очень значим для меня. Я много чем занималась в жизни, считаю себя частично гиком, частично предпринимателем, частично мечтателем, и этот проект — кульминация проявления всех этих составляющих. Мой опыт работы в технологических проектах, предпринимательский опыт и художественное воспитание сделали Chineasy возможным. Но воплотить его в жизнь мне помогли мое детство и мои дети. Я горжусь тем, что могу разделить Chineasy со всеми, кто хочет изучить китайский язык и оценить его красоту.

Как пользоваться книгой

Краткий обзор

В этой книге каждый иероглиф представлен в его китайской форме, далее идет перевод его значения, затем его транскрипция пиньинь (см. стр. 13). Каждый составной элемент и каждый сложный иероглиф, состоящий из нескольких ключей (эти термины объясняются ниже), сопровождаются кратким забавным объяснением и веселым экскурсом в историю или культуру. Для расширения вашего словарного запаса в книгу также включены слова, которые не сопровождаются иллюстрациями (например, слово «сердце» на стр. 87).

В указателе, размещенном в конце книги, перечислены все иероглифы и слова, представленные в Chineasy, а также их полные и упрощенные формы написания и фонетическая транскрипция.

Методология Chineasy

Китайский язык обычно начинают преподавать с изучения 180 или 215 так называемых детерминативов — своего рода ключей, которые затем используются для написания иероглифов. Chineasy разделил этот набор ключей на основные и повторяющиеся формы, и студенты могут изучить меньшее количество ключей. Мы назвали их «составными элементами».

Один составной элемент (например, иероглиф 火 «огонь», см. стр. 28) или особая форма составного элемента (например, «огонь», см. стр. 28) может сочетаться с одним или несколькими иероглифами, формируя сложный иероглиф (например, 炎 «пылающий», см. стр. 29). Два или более иероглифа вместе могут формировать слово (например, 炎炎 «палящий», см. стр. 30). В сложных иероглифах их элементы образуют новый иероглиф, в случае со словами — рас-

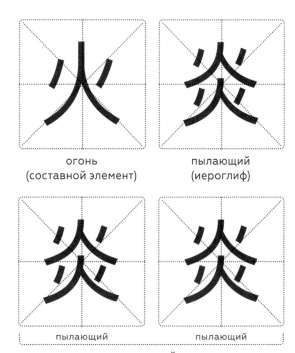

огонь
(составной элемент)

пылающий
(иероглиф)

пылающий

пылающий

палящий
(слово)

положение иероглифов относительно друг друга придает новые значения этому сочетанию. Именно этот принцип составных элементов и делает Chineasy таким легким!

Полное или упрощенное написание?

В Chineasy преимущественно используется полное написание иероглифов, которое встречается на Тайване и в Гонконге. Упрощенное написание иероглифов было принято в КНР в 1949 году после окончания гражданской войны в Китае и создания Китайской Народной Республики. И в полном, и в упрощенном написании все еще встречается много одинаковых иероглифов.

Если вместо полного написания иероглифа используется упрощенное (например, иероглифы со значением «следовать за кем-либо» и «толпа», см. стр. 17), я указываю это особо в скобках. Если о различии форм написания ничего не сказано, полное и упрощенное написания иероглифа совпадают.

Эволюция китайского языка

Как и все прочие языки, китайский язык постоянно развивался в ходе своего существования. Политические перемены, географическое расширение страны и мировоззрение — все они оказывали влияние на стилистическую форму китайских иероглифов. В книге вы увидите упоминания иероглифов, написанных на гадательных костях 甲骨文 (ок. 1400 лет до н. э.) и бронзовых сосудах 金文 (ок. 1000 лет до н. э.); иероглифов архаического стиля 篆書 (ок. 220 г. до н. э.) и канцелярского стиля 隷書 (ок. 200 г. до н. э.). Эти термины определяют периоды в развитии китайской письменности, из которой происходит современный китайский язык.

Самые древние китайские иероглифы представляли собой символические рисунки — логограммы и поэтому обычно не указывают на то, как их следует произносить (см. стр. 13). Однако по мере того, как китайский язык развивался, для создания новых иероглифов использовались два и более составных элемента. В таких случаях один из этих элементов использовался в качестве основы для произношения нового иероглифа. Например, иероглиф «счет»/«чек» 賬 (zhang[4]) на стр. 85 состоит из элемента «раковина» (связанного с богатством, см. стр. 130), который указывал на значение сложного иероглифа, и из иероглифа «длина» (chang[2]), указывающего на произношение. См. также иероглиф «в» на стр. 115.

«восток» в полном написании

«восток» в упрощенном написании

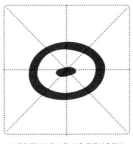

«солнце» в надписях на гадательных костях

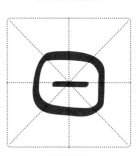

«солнце» в архаическом стиле

«солнце» в канцелярском стиле

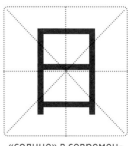

«солнце» в современном написании

Основы письма

Всякий изучающий китайский язык выполняет это упражнение, когда учится писать. Каждый иероглиф должен быть аккуратно вписан в квадрат. Одно «дерево» вписывается в квадрат, так же как и «два дерева», и «три дерева».

Чтобы вместить в квадрат два дерева, вы должны сделать деревья более тонкими, поэтому первоначальное написание иероглифа «дерево» немного меняется. Когда в одном иероглифе собраны вместе три дерева, они становятся еще тоньше, чтобы поместиться в квадрат.

В китайском языке некоторые формы составных элементов используются только в качестве части сложного иероглифа. Они традиционно называются piangpang 偏旁 (боковая графема иероглифа), или ключ. Например, составной элемент со значением «человек» 人 = 亻 используется в сложном иероглифе со значением «группа» 伙. Другие примеры — использование в качестве составного элемента иероглифа со значением «собака» 犬 = 犭 на стр. 26 и «огонь» 火 = 灬 на стр. 28. Такие варианты обозначены примечанием под описанием составного элемента.

На стр. 35 я подробнее расскажу о китайской письменности.

Несмотря на то что существует несколько диалектов китайского языка, например пекинский диалект — путунхуа — и гуандунский диалект, на письме все они используют одинаковые иероглифы. От диалекта к диалекту различается лишь произношение этих иероглифов.

Произношение, указанное в книге с помощью фонетической системы пиньинь, относится к наиболее распространенному диалекту путунхуа, на котором говорят более 960 миллионов хуа, на котором говорят более 960 миллионов

дерево

человек

два дерева = роща

человек в качестве составного элемента

три дерева = лес

группа людей

человек (всего в мире проживают 1 млрд 200 млн человек, говорящих на китайском языке). Вы узнаете больше о произношении в разделе «Основы речи» на следующей странице.

Основы разделения иероглифов

Как понять, читаете ли вы иероглиф или слово? Независимо от того, является ли иероглиф составной частью слова или отдельным словом, он вписывается в квадрат.

Если, например, два обозначения «человек» втиснуты в один квадрат, знайте, что это иероглиф: так, упрощенная форма написания иероглифа «следовать» выглядит как 从.

Если же вы видите несколько иероглифов, расположенных в двух или более квадратах, значит, это составное слово: например «все, каждый» 人人.

Прелесть метода в том, что вы можете создать сколько угодно «слов», используя существующие иероглифы. Китайские иероглифы редко выступают сами по себе, и чаще всего значение иероглифа становится понятным только в контексте. Изучение слов — огромный, но легкий шаг вперед в изучении китайского языка.

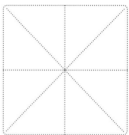

следовать

человек   человек

все, каждый

Основы речи

Большинство преподавателей китайского как иностранного используют пиньинь — систему транскрипции китайских иероглифов с помощью латинского алфавита. Китайский язык — тональный, поэтому в пиньинь используются цифры или значки для обозначения тонов. Например, пиньинь-транскрипция для слова «человек» будет выглядеть как ren^2 или rén. Chineasy использует числовую систему обозначения тонов. После каждого перевода вы увидите в скобках слово с цифрой, указывающей на произношение иероглифа. См., например, стр. 16: 人 «человек» (ren^2).

1-й тон — высокий тон
2-й тон — восходящий тон
3-й тон — нисходяще-восходящий тон
4-й тон — быстро нисходящий тон
Нет цифры — нейтральный тон.

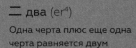 два (er[4])

Одна черта плюс еще одна
черта равняется двум

2

ОСНОВЫ

Составные элементы, сложные иероглифы,
слова, предложения

人 человек (ren²)

Нашим первым
составным элементом
будет «человек».
В настоящее время он
похож на изображение
идущего человека
в профиль.

亻 Человек (ren²)

Такая форма иероглифа
«человек» встречается
в качестве составной части
в некоторых иероглифах
(см. объяснение на стр. 12)
Он известен как 單人旁,
что переводится
как «боковой ключ —
одинокий человек».
См., например, иероглиф
«группа людей» на стр. 29.

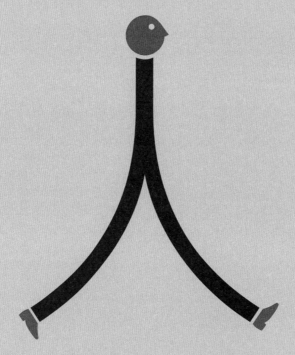

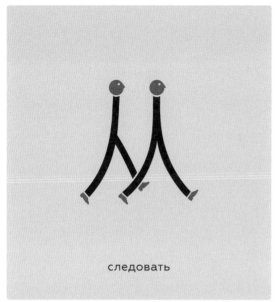

следовать

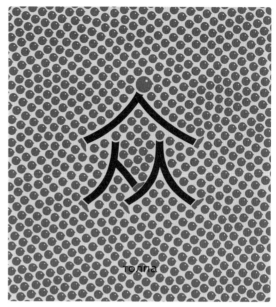

толпа

большой

мужчина

从 **следовать** (cong²)

Этот иероглиф состоит из двух составных элементов со значением «человек». Один человек ведет, а другой следует за ним. Это упрощенная форма иероглифа, традиционная форма выглядит так: 從.

众 **толпа** (zhong⁴)

«Два человека — компания, три — толпа». Три ключа со значением «человек» создают толпу. Это упрощенная форма иероглифа, традиционная форма выглядит так: 眾.

大 **большой** (da⁴)

Этот иероглиф изображает человека, широко раскинувшего руки. Представьте себе, что рыбак говорит: «Рыба была вот такая большая».

夫 **мужчина** (fu¹)

«Мужчина» состоит из иероглифа «большой» с дополнительной чертой сверху, похожей на широкие плечи. На самом деле она символизирует длинные шпильки в древнекитайской мужской прическе, скрепляющие узел из волос.

大人 взрослый
(da[4] ren[2])

Высокий рост не всегда означает зрелость, но, простыми словами, взрослый — это просто большой человек.
Большой + человек = взрослый

大众
общественность
(da[4] zhong[4])

Общественность состоит из большой группы людей.
Большой + толпа = = общественность

众人 люди
(zhong[4] ren[2])

Толпа состоит из многих людей. Это слово также означает «все».
Толпа + человек = люди

夫人
госпожа, супруга
(fu[1] ren[2])

В древнем Китае женщина после замужества становилась собственностью мужа, «его человеком».
Мужчина + человек = госпожа

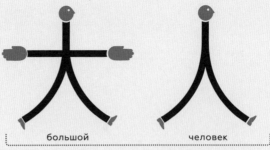

большой человек

взрослый

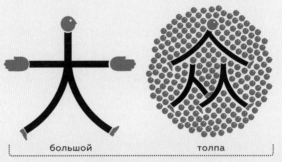

большой толпа

общественность

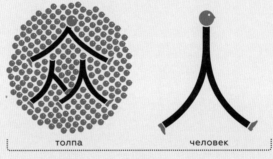

толпа человек

люди

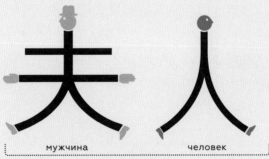

мужчина человек

госпожа

слишком много

госпожа

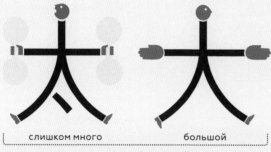

слишком большой

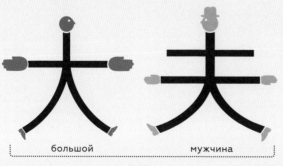

врач

太 слишком (tai⁴)

Этот иероглиф состоит из иероглифа «большой» и черты под ним, что предполагает нечто еще большее. Он также означает «чрезвычайно», «чрезмерно».

太太 госпожа (tai⁴ tai⁴)

Странное слово. Двойной излишек означает «госпожа» или «жена». Вы с этим согласны? Слишком много + слишком много = госпожа

太大 слишком большой (tai⁴ da⁴)

Простое слово. Если что-то слишком большое, то этого чего-то слишком много. Слишком много + большой = слишком большой

大夫 врач (da⁴ fu)

У этого слова два значения. Когда оно произносится «da⁴ + fu» мягким и нейтральным тоном, оно означает «врач». Когда оно произносится «da⁴ + fu¹», оно означает «сановник». Оба слова, впрочем, устаревшие. Большой + мужчина = врач

天 небо (tian[1])

Если приставить сверху
горизонтальную линию
к иероглифу «большой» **大**,
получившийся иероглиф
будет означать «небо» или
«небеса». Традиционно эта
линия означала духовный
уровень, расположенный
выше человеческого
и земного. Этот иероглиф
также означает «день».

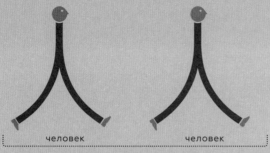

человек + человек
все

небо + человек
небеса

небо + большой
чрезвычайно большой

небо/день + небо/день
каждый день

人人 все
(ren² ren²)

Человек + человек = все

天人 небеса
(tian¹ ren²)

Небо + человек = [буквально] небесный человек = небеса или святой

天大 чрезвычайно большой (tian¹ da⁴)

Что может быть больше неба? Небо + большой = [буквально] большой как небо = чрезвычайно большой

天天 каждый день (tian¹ tian¹)

Как сказано на соседней странице, иероглиф «небо» также означает «день». День + день = каждый день

口 рот (kou³)

Этот ключ может иметь значение «рот» (если он малого размера) или «окружать» (если большого).

口 окружать (wei²)

Можете ли вы найти различие между этими двумя иероглифами? Здесь, вне контекста, это практически невозможно. Но если знать, что иероглиф «окружать» никогда не появляется сам по себе, становится очевидно: отдельно стоящий иероглиф 口 означает «рот».

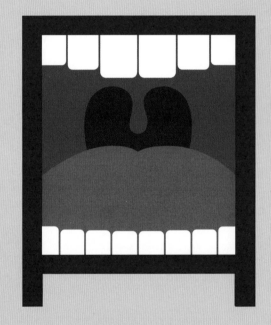

кричать

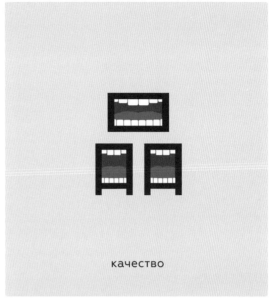

качество

быть причиной

возвращаться

吅 кричать (xuan¹)

Рот испускает крик. Два рта испускают еще больший крик. Этот иероглиф встречается очень редко, так что можно использовать его, чтобы произвести впечатление на ваших китайских друзей.

品 качество (pin³)

Каждый человек, открывающий рот, имеет свое мнение. Качество какой-либо вещи — это мнение людей о ней. Этот иероглиф также имеет значения «предмет», «продукт», «ранг».

因 быть причиной (yin¹)

Этот иероглиф состоит из комбинации иероглифов «рот» и «большой». Он также означает «из-за», «причина». Мне нравится думать, что большой рот — а вернее, не-сдержанность в высказываниях — бывает причиной больших проблем (хотя в данном случае 口 означает «окружать»).

回 возвращаться (hui²)

Этот иероглиф — комбинация составных элементов «рот» и «окружать». Представьте, что это водоворот, постоянно меняющий направление вращения.

人口 население
(ren² kou³)

Когда мы начинаем считать, сколько ртов надо прокормить, мы говорим о населении.
Человек + рот = население

人品 мораль
(ren² pin³)

Помните, что судить о людях нужно, основываясь на их моральных качествах.
Человек + качество = мораль

回人
народность хуэй
(hui² ren²)

Хуэй — название одной из народностей Китая мусульманского вероисповедания. Это одна из 56 официально признанных этнических групп Китая.
Возвращаться + человек = [буквально] вернувшиеся люди = народность хуэй

人魚 русалка
(ren² yu²)

В Древнем Китае это слово относилось к гигантской саламандре. Сейчас оно обозначает русалку.
Человек + рыба = [буквально] рыбный человек = русалка

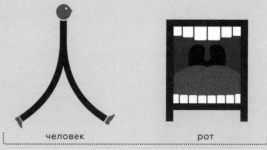

человек · рот

население

человек · качество

мораль

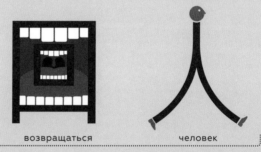

возвращаться · человек

народность хуэй

человек · рыба

русалка

魚 рыба (yu²)

Этот иероглиф в форме рыбы традиционно использовался на гадательных костях и на печатях, и первоначально им обозначали любых водных позвоночных, но позже его значение стало более конкретным — «рыба». Упрощённая форма этого иероглифа — 鱼.

犬 собака (quan³)

Обычная форма этого иероглифа состоит из иероглифа «большой» и точки в верхнем правом углу. Самой ранней формой этого иероглифа было изображение собаки на гадательных костях. У него была дополнительная черта, изображавшая собачий хвост.

....

犭 собака (quan³)

Этот иероглиф — форма иероглифа «собака», служащего составной частью некоторых иероглифов. См., например, иероглиф «гулять» на стр. 113.

лаять

плакать

посуда

большой   лаять

громко лаять

吠 лаять (fei⁴)

Этот иероглиф — комбинация иероглифов «рот» и «собака». Собака открывает пасть, чтобы залаять.

哭 плакать (ku¹)

Этот иероглиф — комбинация иероглифа «собака» и двух иероглифов «рот». Так как звук человеческого плача напоминает скуление собаки, этот иероглиф обозначает «плакать».

большой   плакать

громко плакать

器 посуда (qi⁴)

Этот иероглиф — комбинация иероглифов «собака» и четырех иероглифов «рот». Он также может иметь значение «инструмент».

大吠 громко лаять (da⁴ fei⁴)

Большой + лаять = [буквально] большой лай = громко лаять

大哭 громко плакать (da⁴ ku¹)

Это слово может также означать «расплакаться».
Большой + плакать = [буквально] большой плач = громко плакать

большой   посуда

достижение/щедрость

大器 достижение/щедрость (da⁴ qi⁴)

Это слово также может означать «большой талант», большой + посуда = [буквально] = большая посуда = достижение

火 огонь (huo³)

Составной элемент для иероглифа «огонь» представляет собой центр пламени с языками пламени справа и слева. Он напоминает костер. Мне этот иероглиф представляется в виде горящего человека, который машет руками и кричит: «Помогите!»

....

灬 огонь (huo³)

Этот элемент — форма иероглифа «огонь», служащего составной частью некоторых других иероглифов. Когда в состав иероглифа входит этот ключ, скорее всего, речь идет об огне или чем-то горячем. См., например, иероглиф «ягненок» на стр. 41.

пылающий

пламя

группа людей

есть

炎 пылающий (yan²)

Этот иероглиф состоит из двух иероглифов «огонь», расположенных один над другим. Они горят в два раза сильнее. Этот иероглиф также имеет значение «воспаление».

焱 пламя (yan⁴)

Составной элемент «огонь» представляет собой один язык пламени, умножьте его на три — и вы получите бушующее пламя.

伙 группа людей (huo³)

В Древнем Китае огонь использовался в основном для обогрева и приготовления пищи. Люди группой собирались вокруг огня.

啖 есть (dan⁴)

Этот иероглиф состоит из сочетания ключей «рот» и «пылающий». Он имеет значение «есть» (в смысле поглощать пищу) или «полный рот». Китайская еда, особенно в провинции Сычуань, может быть очень острой, обжигающей рот.

炎炎 палящий
(yan² yan²)

Разгоревшееся пламя обдаёт жаром. Этот иероглиф вы встретите в описании погоды, например «знойное лето» 炎炎夏日.
Пылающий + пылающий = палящий

焱焱 пламя огня
(yan⁴ yan⁴)

Это слово может показаться излишним, но ведь существуют различные виды пламени, например пламя страсти.
Пламя + пламя = пламя огня

大伙 компания
(da⁴ huo³)

В Древнем Китае разведение огня знаменовало начало приготовления пищи. Люди, собравшиеся вокруг огня, чтобы вместе поесть, становятся единой компанией.
Большой + группа людей = компания

пылающий   пылающий

палящий

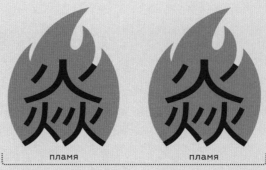

пламя   пламя

пламя огня

большой   группа людей

компания

Урок для сердитых!

Огонь (火) — один из пяти элементов традиционной китайской медицины. Каждый человек рожден с уникальным сочетанием всех пяти элементов. Именно оно формирует основу вашего характера и вашу физическую конституцию. Жизненная энергия ци этих пяти элементов прибывает и убывает в соответствии с ежедневным и сезонным циклами. Согласно положениям китайской медицины, человек заболевает, когда в его организме возникает дисбаланс этих элементов.

Врачи традиционной китайской медицины утверждают, что преобладание в организме человека элемента огня приводит к беспокойству, тревожности и бессоннице.

И когда в человеке накапливается большое количество огня, в нем накапливается и гнев. И он сердится!

火大 сердитый
(huo³ da⁴)

Когда человек горячится, мы можем предположить, что он сердится. Это довольно неформальное выражение.
Огонь + большой = сердитый

大火 большой огонь
(da⁴ huo³)

Очень простое выражение. Большой + огонь = большой огонь

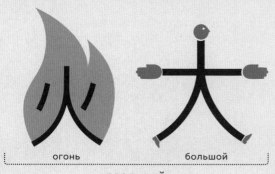

огонь   большой

сердитый

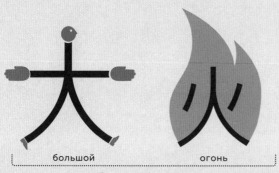

большой   огонь

большой огонь

木 дерево (mu⁴)

Ключ «дерево»
представляет собой ствол
дерева со свисающими
ветвями. Когда этот
иероглиф используется
как прилагательное, его
значение — «деревянный,
сделанный из дерева».
Когда оно описывает
человека, то означает
«неуклюжий», «тупой»
или «онемелый».

роща

лес

основание

приходить

林 роща (lin²)

Два дерева рядом — это уже роща. Этот иероглиф также часто используется в обозначении фамилии. Кстати, Линь — фамилия моей мамы.

森 лес (sen¹)

Три дерева образуют лес, он больше, чем одно дерево или роща. В качестве прилагательного этот иероглиф имеет значение «плотный», как и густо растущая группа деревьев.

本 основание (ben³)

Основание дома — первый шаг в его строительстве. Традиционно в Китае основание домов делали из дерева. Этот иероглиф также имеет значение «происхождение».

來 приходить (lai²)

Этот иероглиф — комбинация ключа «дерево» и двух ключей со значением «человек». В Древнем Китае значение «приходить» передавалось с помощью иероглифа, в состав которого входил ключ «пшеница». Этот злак пришел в Китай из Европы. Упрощенная форма этого иероглифа — 来.

本來 первоначально
(ben³ lai²)

Происхождение +
приходить =
первоначально

本人 сам
(ben³ ren²)

Помните: происхождение
человека часто влияет
на его самоощущение.
Происхождение +
человек = [буквально]
происхождение человека =
сам

來人 посланник
(lai² ren²)

До эры электричества
многие сообщения
передавались с помощью
посланника, это
довольно старомодное,
поэтическое слово.
Приходить + человек =
посланник

основание/происхождение — приходить

первоначально

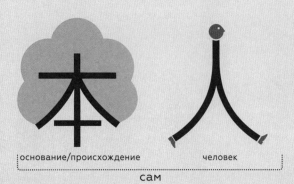

основание/происхождение — человек

сам

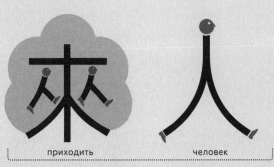

приходить — человек

посланник

Четыре направления

В каком направлении пишут на китайском языке: вертикально или горизонтально? Возможны оба варианта. Вы можете читать слева направо, справа налево или сверху вниз. Не найдете вы лишь один вариант чтения — снизу вверх.

Сейчас чаще всего пишут слева направо, как в европейских языках. В древней литературе или на дорожных знаках можно увидеть фразы, написанные справа налево. Это может показаться странным в двуязычных текстах. Я однажды видела книгу, название которой было написано на английском языке слева направо и на китайском справа налево!

Если вы пытаетесь прочесть вертикально написанный текст (например, в китайских свитках), то читать нужно начиная с первого столбца справа, сверху вниз, передвигаясь по столбцам справа налево.

本人火大 Я в гневе
(ben³ ren² huo³ da⁴)

Я сам + сердитый = [буквально] сержусь = я в гневе

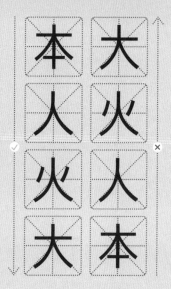

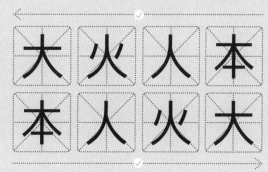

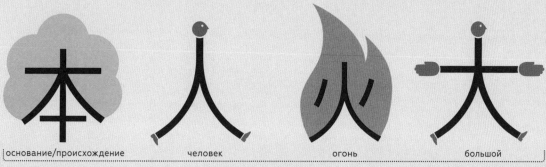

| основание/происхождение | человек | огонь | большой |

Я в гневе

абрикос

дурак

еще нет

конец

杏 абрикос (xing⁴)

Этот иероглиф состоит из «дерева» и «рта». Я буду ждать под деревом с открытым ртом, чтобы поймать абрикос. Этот иероглиф также имеет значение «миндаль».

呆 дурак (dai¹)

Этот иероглиф также является комбинацией «дерева» и «рта». Нет ничего глупее мысли, что дерево может говорить! Другое значение этого иероглифа — «скучный».

未 еще нет (wei⁴)

В древних надписях этот иероглиф изображал дерево с листвой — постоянно растущее живое дерево. Иероглиф также имеет значение «будущее».

末 конец (mo⁴)

Этот иероглиф выглядит так, словно верхние ветви дерева образовали плато, то есть оно прекратило расти. Убедитесь, что верхняя горизонтальная линия длиннее нижней.

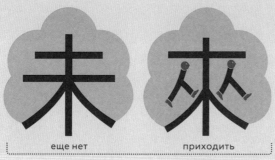

еще нет   приходить

будущее

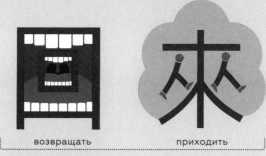

возвращать   приходить

возвращаться

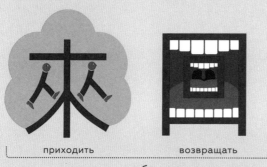

приходить   возвращать

туда и обратно

абрикос   роща

фармацевтическая промышленность

未來 будущее
(wei[4] lai[2])

Еще нет + приходить = будущее

回來 возвращаться
(hui[2] lai[2])

Возвращать + приходить = [буквально] возвращаться туда, откуда пришел = возвращаться

來回 туда и обратно
(lai[2] hui[2])

Приходить + возвращать = [буквально] возвращаться туда, откуда пришел = «туда и обратно»

杏林
фармацевтическая промышленность
(xing[4] lin[2])

Сегодня мало кто помнит, что все лекарства когда-то готовились из даров природы — трав, листьев, плодов. Абрикос + роща = источник лекарства = фармацевтическая промышленность (имеется в виду традиционная китайская медицина).

休 отдыхать (xiu[1])

Этот иероглиф — комбинация иероглифов «человек» и «дерево». Мне он представляется как человек, отдыхающий под деревом.

体 тело (как организм) (ti[3])

Этот иероглиф — комбинация иероглифов «человек» и «основание». Основание человека — его тело. Это упрощенная форма написания иероглифа, полная форма — 體.

人体 тело человека (ren[2] ti[3])

Человек + тело = тело человека

大体 в общем (da[4] ti[3])

Это слово может означать «в общем», «более или менее», «в основном». Большой + тело = в общем

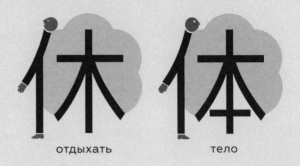

отдыхать   тело

человек   тело

тело человека

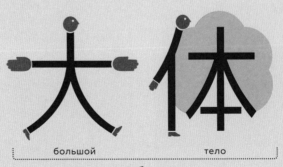

большой   тело

в общем

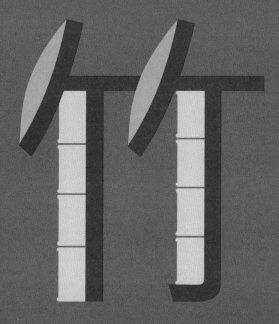

竹 бамбук (zhu²)
Этот составной элемент
напоминает два стебля
бамбука с листьями.

. . . .

笨 глупый (ben⁴)
Комбинация иероглифов
«бамбук» и «основание»
передает значение
«глупый». Если у вас
есть такие знакомые, он
может вам пригодиться.
Но ни один из читателей
Chineasy не почувствует
себя 笨, ведь учиться
с Chineasy очень легко!

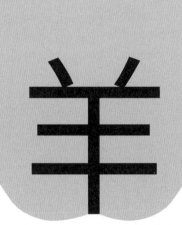

羊 баран, овца
(yang²)

В китайском языке иероглиф **羊** представляет мелкий рогатый скот. Значение иероглифа, обозначает ли он козла, барана или другое животное этой группы, определяется контекстом. Если он оказывается составным элементом в сложном иероглифе, это означает, что речь идет о чем-то похожем на барана или о чем-то позитивном.

красивый

свежий

ягненок

блеяние овцы

美 красивый (mei³)
Этот иероглиф — комбинация иероглифов «баран» и «большой». В Древнем Китае баран считался благоприятным знаком. Этот иероглиф также является сокращенным обозначением США.

鲜 свежий (xian¹)
Этот иероглиф является комбинацией элемента «рыба», который расположен справа, и элемента «баран» слева. Первоначально иероглиф имел отношение к выращиванию рыбы, но сейчас его значение изменилось до понятия «свежий».

羔 ягненок (gao¹)
Этот иероглиф — комбинация иероглифов «баран» и «огонь». Он представляет собой изображение барана над огнем. Так готовят баранину в некоторых областях Китая.

咩 блеяние овцы (mie¹)
Этот иероглиф является комбинацией элемента «рот» и элемента «баран» и передает звук, который издает баран: «ме-е-е».

Щ гора (shan[1])

Иероглиф «гора»
представляет собой пики
горного хребта.

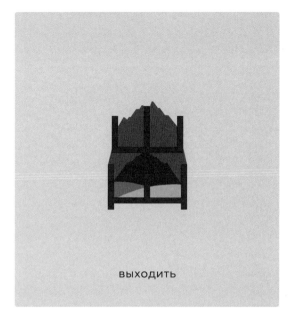

выходить

кричать в гневе

бессмертный

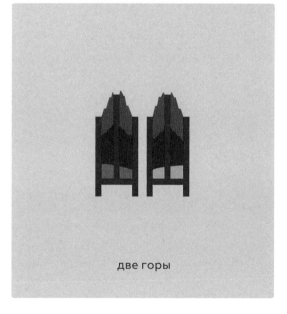

две горы

出 **выходить** (chu[1])

В прошлом император отправлял неугодных в ссылку за горные перевалы. В результате этот иероглиф стал обозначать «выход». В наши дни он означает «выходить».

屾 **кричать в гневе** (duo[1])

Этот иероглиф — комбинация иероглифов «рот» и «гора», также имеет значение «вопль ярости».

仙 **бессмертный** (xian[1])

Этот иероглиф — комбинация «человека» и «горы». Человек, который живет столько же, сколько гора, будет казаться остальным бессмертным.

屾 **две горы** (shen[1])

Этот сложный иероглиф может обозначать либо фамилию Шэнь, либо «две горы». Это редкий иероглиф, знанием которого вы можете похвастаться перед своими китайскими друзьями.

出口 выход
(chu[1] kou[3])

Рот, который указывает вам, где выходить, есть выход.
Выходить + рот = выход

出來 выходить
(chu[1] lai[2])

Это очень простое слово.
Выходить + приходить = выходить

出品 издавать
(chu[1] pin[3])

Как вы можете показать продукт своего умственного труда людям? Конечно же, опубликовать его.
Выходить + продукт = публиковать

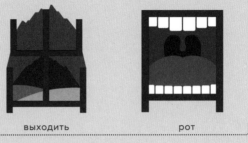

выходить   рот

выход

выходить   приходить

выходить

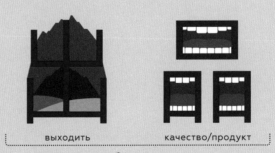

выходить   качество/продукт

публиковать

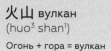

火山 вулкан
(huo³ shan¹)

Огонь + гора = вулкан

火山口 кратер
(huo³ shan¹ kou³)

Вулкан + рот = [буквально]
рот вулкана = кратер

休火山
спящий вулкан
(xiu¹ huo³ shan¹)

Отдыхать + вулкан =
[буквально] вулкан
на отдыхе = спящий вулкан

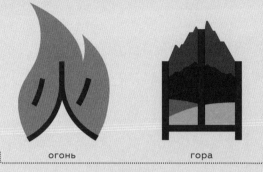

огонь   гора

вулкан

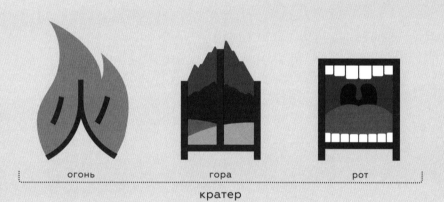

огонь   гора   рот

кратер

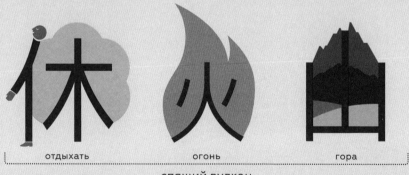

отдыхать   огонь   гора

спящий вулкан

女 женщина (nü³)

Этот иероглиф традиционно изображал женщину, сидящую на коленях на полу и демонстрирующую покорность мужчине (меня очень удручает история происхождения этого иероглифа). Выступая в роли прилагательного, он имеет значение «женский».

Почему две женщины вместе — это «ссора»

Приходится признать: когда женщины собираются вместе, они частенько бранятся. Иероглиф, изображающий двух женщин вместе, имеет значение «ссора».

Столетиями в китайских семьях под одной крышей жили молодожены и родители мужа, а также другие члены их большой семьи. Зачастую в одном доме проживали четыре поколения. А совместное проживание в одном доме нескольких женщин практически неизбежно сопровождается ссорами. Иногда свекрови мстили невесткам за то, что те «украли» их сыновей. Иногда ссорились жены и наложницы (обычным делом для богатых китайцев было иметь несколько жен: например, у моего прапрадеда, землевладельца на Тайване, было три жены). Жены и наложницы, чтобы их дети не лишились наследства, объединялись против новых наложниц. Нечего удивляться, что домашние конфликты были нормой!

Вы наверняка уже заметили, что в китайском языке иероглифы редко встречаются сами по себе. Часто для уточнения значения в разных контекстах необходим еще один иероглиф. Многие слова образованы с помощью повторения одного и того же иероглифа. На следующей странице вы узнаете, что иероглиф 妹 имеет значение «младшая сестра». Но в реальной жизни для передачи значения «младшая сестра» вы чаще встретите 妹妹 (где 妹 повторяется). Это обычное явление для китайского языка — см. пример на стр. 156. Повтор иероглифа проясняет значение слова. В книге вы встретите и другие примеры повторения — 人人 («все», стр. 21), 天天 («каждый день», стр. 21), 白白 («напрасно», стр. 63), 媽媽 («мама», см. «мать», стр. 77), 公公 («дедушка», см. «общественный», стр. 141).

Иероглиф может быть и существительным, и прилагательным, и глаголом — как в английском языке.

Например, иероглиф 女 означает «женщина», но, когда речь идет о женщине, вы чаще встретите слово 女人 (с. 49, где 女 — прилагательное «женский», а 人 — существительное «человек»).

Другой пример — иероглиф со значением «лес». Иероглиф 森, выступая самостоятельно, имеет значение «лес» (с. 33). Тем не менее, говоря о лесе, мы часто употребляем слово 森林 (с. 156), где 森 использовано как прилагательное «лесной» для определения 林 «роща, лес».

И последний пример — иероглиф со значением «завтра». Иероглиф 明 может иметь значение «яркий», «яркость» или «завтра» (см. стр. 57), но чаще всего в значении «завтра» вы встретите слово 明日 (стр. 59), в котором 明 используется как прилагательное, определяющее существительное 日 «день».

妞 ссора (nuan[2])

Традиционно считается, что две женщины не могут находиться в одной комнате и не поссориться.

姦 супружеская измена (jian[1])

Мужчина, у которого есть три женщины, кому-то изменяет. Упрощенно — 奸

повиноваться

младшая сестра

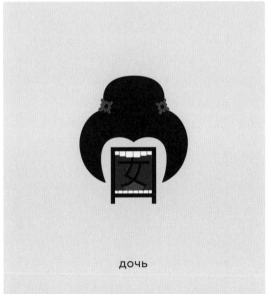

дочь

жадность

如 повиноваться (ru²)

Этот иероглиф — комбинация иероглифов «женщина» и «рот». Женщина в Древнем Китае не имела права высказывать свое мнение, она повиновалась. Этот сложный иероглиф также имеет значение «как» (см. стр. 65) и «если» (см. «прощать», стр. 87).

妹 младшая сестра (mei⁴)

Этот иероглиф — сочетание иероглифов «женщина» и «еще нет», поэтому его буквальный перевод — «еще не женщина». Используется для обращения к младшей сестре.

囡 дочь (nan¹)

Этот иероглиф — комбинация иероглифа «женщина» и элемента «окружать». Молодые девушки обычно жили в родительском доме, в окружении членов родительской семьи, до замужества.

婪 жадность (lan²)

Этот иероглиф — комбинация иероглифов «роща» и «женщина». Он также имеет значение «большое количество», «много». «Много женского» означает «жадность»; какое негативное отношение к женщине!

бессмертный · женщина

фея

женщина/женский · человек

женщина

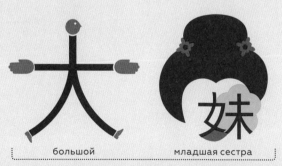

большой · младшая сестра

старшая из младших сестер

仙女 фея (xian[1] nu[3])

Из всех известных бессмертных феи больше всего связаны с женщинами. Бессмертный + женщина = фея

女人 женщина (nu[3] ren[2])

Человек женского пола — это женщина. Женщина + человек = женщина

大妹 старшая из младших сестер (da[4] mei[4])

Семейная иерархия в Китае имеет очень большое значение. Власть в семье исстари основывалась на возрасте и поле. Семьей руководили мужчины по принципу старшинства. За ними шли женщины — от старшей к младшей. Старшая из младших сестер, таким образом, оказывалась почти в самом низу этой иерархии. Большой + младшая сестра = [буквально] Большая младшая сестра = старшая из младших сестер

птица (niao³)

В надписях
на гадательных костях
и печатях этот иероглиф
изображал птицу.
Современный иероглиф
представляет собой
птицу с четырьмя когтями
и свисающими хвостовыми
перьями. Упрощенная
форма этого иероглифа —
鸟.

перо (yu³)

Этот иероглиф
действительно
выглядит как перо!

日 солнце (ri⁴)

В надписях на гадательных костях и на печатях иероглиф «солнце» был кругом с точкой в центре. Сейчас он превратился в изображение, похожее на окно. Этот иероглиф также имеет значение «день».

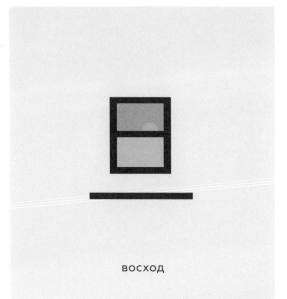

восход

сверкание

восток

проверять

旦 восход (dan⁴)

Этот иероглиф легко запомнить, поскольку он представляет собой солнце, поднимающееся над линией горизонта.

晶 сверкание (jing¹)

Старая форма иероглифа «сверкание» изображалась как три круга — два внизу, один наверху — и означала «сияющий», «искрящийся».

東 восток (dong¹)

Этот иероглиф — комбинация «дерева» и «солнца». Солнце встает на востоке, и человек видел первые лучи солнца сквозь кроны деревьев. Упрощенная форма иероглифа — 东.

查 проверять (cha²)

Первоначальное значение этого иероглифа — «плот». Вам понадобится плот, чтобы проверить, что там, за горизонтом.

山東 провинция Шаньдун

(shan[1] dong[1])

Шаньдун — провинция на восточном побережье Китая с населением 96 миллионов человек. Это один из самых важных регионов страны, исторический центр даосизма и родина Конфуция. Название провинции — 山東 («к востоку от гор») — связано с расположением ее к востоку от гор Тайхан.

山東人 «житель провинции Шаньдун»

(shan[1] dong[1] ren[2])

«К востоку от гор» + человек = [буквально] человек с восточной стороны гор = житель провинции Шаньдун

山東女人 «жительница провинции Шаньдун»

(shan[1] dong[1] nu[3] ren[2])

«К востоку от гор» + женщина = [буквально] женщина с восточной стороны гор = жительница провинции Шаньдун

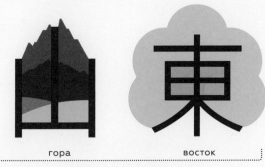

гора   восток

провинция Шаньдун

гора   восток   человек

житель провинции Шаньдун

гора   восток   женщина   человек

жительница провинции Шаньдун

солнце | основание/происхождение

Япония

日本 Япония
(ri⁴ ben³)

Япония в английском языке известна как «страна восходящего солнца». Япония находится к востоку от Китая, там, где восходит солнце.
Солнце + происхождение = [буквально] происхождение солнца = Япония

日本人 японец
(ri⁴ ben³ ren²)

Япония + человек = японец

日本女人 японка
(ri⁴ ben³ nu³ ren²)

Япония + женщина = японка

солнце | основание/происхождение | человек

японец

солнце | основание/происхождение | женщина | человек

японка

月 луна (yue⁴)

Составной элемент «луна» первоначально происходил от изображения полумесяца. Теперь это визуальный двойник иероглифа «солнце». Он также означает «месяц».

肉 = 月 мясо (rou⁴)

Составной элемент иероглифа «плоть» или «мясо» выглядит почти так же, как и иероглиф «луна». Вы можете найти различие между ними? Это практически невозможно. Но в составе сложного иероглифа оно станет очевидным. Если вы видите 肉 или 月 в составе какого-либо иероглифа в ресторанном меню, они, скорее всего, будут иметь отношение к какой-либо части животного. Хотя и не обязательно к той, которую вам бы хотелось попробовать.

друг

яркий

желчный пузырь

кожа

朋 друг (peng²)

В надписях на гадательных костях этот иероглиф изображал две связки раковин, которые в те времена использовались в качестве денег.

明 яркий (ming²)

Когда солнце и луна светят вместе, они составляют иероглиф «яркий», «яркость». Этот иероглиф также имеет значение «завтра», см. объяснение на стр. 47.

胆 желчный пузырь (dan³)

Этот иероглиф — комбинация «плоти» и «восхода». Это упрощенная форма, полная форма иероглифа — 膽. Обе формы также могут означать «мужество».

肤 кожа (fu¹)

Этот иероглиф — комбинация «плоти» и «человека». Плоть человека обтягивает кожа. Это упрощенная форма иероглифа, его полная форма — 膚.

查出 узнавать
(cha² chu¹)

Проверять + выходить =
[буквально] проверять =
узнавать

查明 устанавливать
(cha² ming²)

Проверять + яркий =
[буквально] уточнять
то, что вы проверяете =
устанавливать

來日 вскоре (lai² ri⁴)

Составной элемент
«солнце» может также
быть самостоятельным
иероглифом
со значением «день».
Приходить + день = вскоре

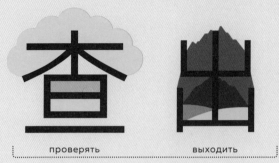

проверять — выходить

узнавать

проверять — яркий

устанавливать

приходить — солнце/день

вскоре

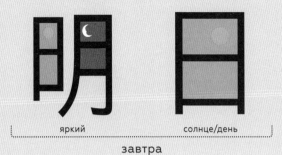

яркий   солнце/день

завтра

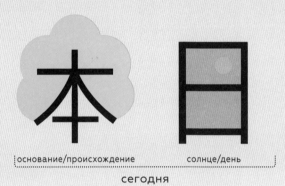

основание/происхождение   солнце/день

сегодня

основание/происхождение   луна/месяц

в этом месяце

明日 завтра
(ming[2] ri[4])

Помните, после дня и ночи приходит завтрашний день.
Яркий + день = завтра

本日 сегодня
(ben[3] ri[4])

Происхождение + день = сегодня

本月 в этом месяце
(ben[3] yue[4])

Так же как составной элемент «солнце» может иметь и значение «день», так и элемент «луна» может иметь значение «месяц».
Происхождение + месяц = в этом месяце

工 **работа** (gong[1])

В надписях на гадатель-
ных костях этот иероглиф
был изображен в форме
инструмента, и его перво-
начальным значением
было «держать инструмент
в руке» или «наугольник
плотника». Сейчас он
означает «работа», «труд»
или «умение». Сложные
иероглифы, в которые
входит этот составной
элемент:

左 левый (zuo[3])
巫 колдун (wu[1])

工人 рабочий
(gong[1] ren[2])

Работа + человек = [буквально] работающий человек = работник или рабочий

人工 рукотворный
(ren[2] gong[1])

Человек + работа = [буквально] работа человека = сделанный человеком = рукотворный

女工 работница
(nu[3] gong[1])

Женщина + работа = [буквально] женская работа или рукоделие = работница

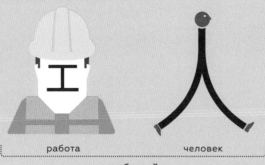

работа · человек

рабочий

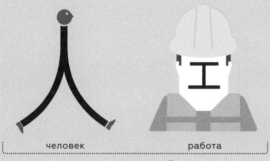

человек · работа

рукотворный

женщина · работа

работница

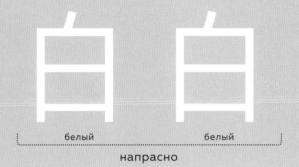

白 белый 白 белый

напрасно

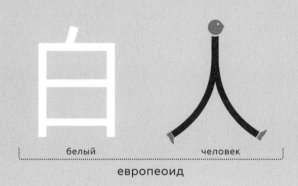

白 белый 人 человек

европеоид

白 белый 天 небо/день

день

白白 напрасно
(bai² bai²)

Белый + белый = напрасно/зря

白人 белый человек, европеоид
(bai² ren²)

Альтернативное, но уничижительное название людей европейской расы — gweilo, что означает «человек-призрак». Белый + человек = [буквально] белый человек = европеоид

白天 день
(bai² tian¹)

Иероглиф со значением «небо» может также означать «небеса» (в духовном смысле) и «день». В данном примере он имеет значение «день». Белый + день = день

習 учить, практиковаться (xi²)

Этот иероглиф — комбинация иероглифов «перо» и «белый». Он обычно обозначает «учиться летать». Упрощенная форма — 习.

虎 тигр (hu³)

Составной элемент «тигр»
также имеет значение
«смелый» и «свирепый».

....

唬 пугать (hu³)

Этот иероглиф —
комбинация иероглифов
«рот» и «тигр».
Представьте, как вы
были бы напуганы,
услышав тигриный
рев посреди ночи.

Фразеологизмы со словом «тигр»

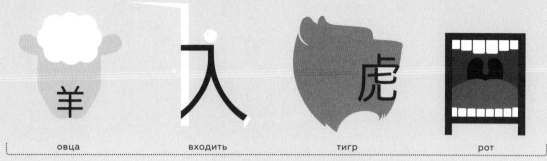

овца   входить   тигр   рот

ягненок в логове тигра

羊入虎口 — знаменитый китайский фразеологизм «ягненок в логове тигра». Эта фраза предупреждает, что вы вступаете на опасную территорию. Вы наверняка заметили, что второй по порядку иероглиф 入 «входить» (ru⁴) похож на иероглиф 人 «человек» и отличается от него лишь большей длиной правого штриха.

повиноваться   тигр   рот

опасно, как в логове у тигра

В этой фразе иероглиф 如 «повиноваться» имеет значение «как», в то время как 虎口 обозначает «логово тигра». Если вы встретите эту фразу, будьте начеку. Более развернутую фразу 馬路如虎口 — «перекресток как логово тигра» — можно увидеть на перекрестках. Она напоминает, что нужно быть осторожным при переходе улицы.

門 дверь (men[2])

Составной элемент
«дверь» похож
на двери салуна
на американском Диком
Западе. Салуны появились
много позже, но сходство
очевидно! Упрощенная
форма иероглифа — 门.

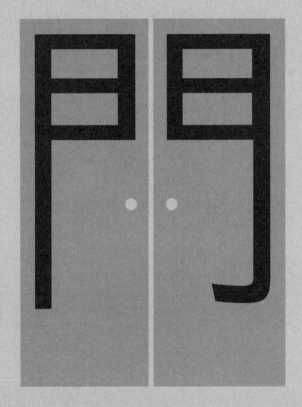

уклоняться

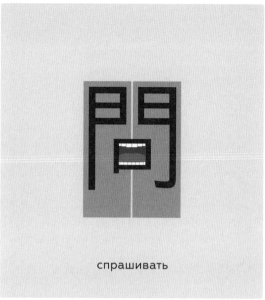

спрашивать

пространство/помещение

отдых

閃 уклоняться (shan³)

Представьте себе человека, который убегает сквозь двери салуна, пытаясь уклониться от ареста: 閃.

問 спрашивать (wen⁴)

Этот иероглиф — комбинация иероглифов «дверь» и «рот». Задавать вопросы — это дверь к знаниям. Упрощённая форма этого иероглифа — 问.

間 пространство/помещение (jian¹)

Этот иероглиф — сочетание иероглифов «дверь» и «солнце». В надписях на печатях этот иероглиф выглядел так же, как иероглиф 閒 «отдых». Поэтому впоследствии он был видоизменён, чтобы избежать путаницы. Упрощённая форма этого иероглифа — 间.

閒 отдых (xian²)

Этот иероглиф — комбинация иероглифов «дверь» и «луна». До эпохи электричества вся работа прекращалась с наступлением темноты, когда на небе появлялась луна. Этот иероглиф также означает «праздный», «мирный» или «спокойный». Альтернативные формы этого иероглифа — 閑 и 闲.

大門 главный вход
(da[4] men[2])

Большой + дверь =
[буквально] большая
дверь = главный вход

門口 дверной проем
(men[2] kou[3])

Дверь + рот =
[буквально] рот двери =
дверной проем

大門口
парадные ворота
(da[4] men[2] kou[3])

Большой + дверной
проем = [буквально]
большой дверной проем =
парадные ворота

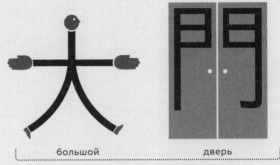

большой   дверь

главный вход

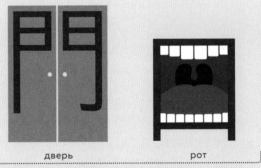

дверь   рот

дверной проем

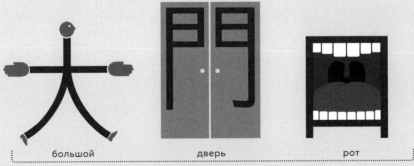

большой   дверь   рот

парадные ворота

человек | пространство

мир

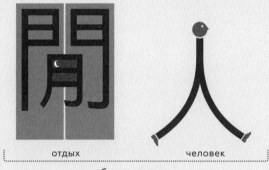

отдых | человек

бездельник

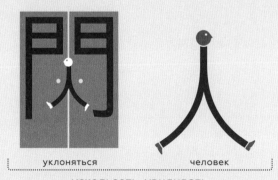

уклоняться | человек

ускользать, увиливать

人間 мир
(ren² jian¹)

Человек + пространство =
[буквально] пространство
для людей = мир

閒人 бездельник
(xian² ren²)

Отдых + человек =
бездельник

閃人 ускользать,
увиливать
(shan³ ren²)

Уклоняться +
человек = [буквально]
уклоняющийся человек =
ускользать, увиливать

水 вода (shui³)

Составной элемент «вода» похож на извилистую реку с притоками, впадающими в нее с обеих сторон.

氵 вода (shui³)

Эта форма иероглифа «вода» употребляется в качестве составного элемента некоторых сложных иероглифов. Она известна как 三點水 («три капли воды»). Пример использования этого элемента — иероглиф «неинтересный» на противоположной странице.

безбрежная вода

пена

родник

неинтересный

淼 безбрежная вода (miao³)

Этот иероглиф — комбинация трех составных элементов «вода». Вполне логично.

沫 пена (mo⁴)

Этот иероглиф — комбинация «воды» и «конца». Просто запомните, что волна превращается в пену, прежде чем окончательно разбиться о берег.

泉 родник, фонтан (quan²)

Этот иероглиф — сочетание иероглифов «белый» и «вода». Вешние воды появляются, когда тает белый снег.

淡 неинтересный (dan⁴)

Этот иероглиф — комбинация «воды» и иероглифа «пылающий». Он также имеет значение «легкий», «слабый», «скромный», «простой», «безвкусный».

江 река (jiang¹)
Вода + работа

汝 ты (ru³)
Вода + женщина

沐 купаться, совершать омовение (mu⁴)
Вода + дерево

淋 капать (lin²)
Вода + роща

水晶 кристалл
(shui³ jing¹)

В этом слове составной элемент «вода» намекает на прозрачность.
Вода + сверкание = кристалл

口水 слюна
(kou³ shui³)

Рот + вода = слюна

淡水 свежая вода
(dan⁴ shui³)

Это также название города на севере провинции Тайбэй на Тайване.

淡月 спокойный месяц для бизнеса
(dan⁴ yue⁴)

В Китае самым спокойным, неприбыльным месяцем для бизнеса является июль, месяц духов в китайском календаре. В Азии месяц духов — время поминовения усопших предков.
Свет + месяц = [буквально] легкий месяц = вялый месяц = спокойный месяц для бизнеса.

вода   сверкание

кристалл

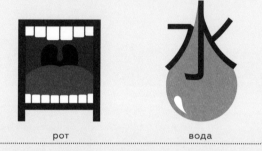

рот   вода

слюна

простой   вода

свежая вода

простой/светлый   луна/месяц

спокойный месяц для бизнеса

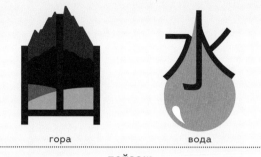

гора вода

пейзаж

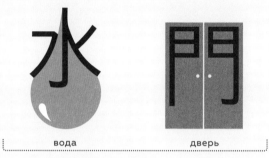

вода дверь

плотина

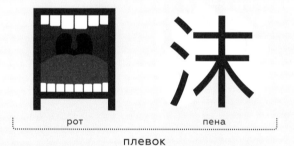

рот пена

плевок

родник вода

родниковая вода

山水 пейзаж
(shan[1] shui[3])

Бо́льшая часть классических пейзажей стран Дальнего Востока — это живописные горы и широкие реки, например Фудзияма в Японии, гора Хуаншань в Китае, залив Халонг во Вьетнаме и т. д. Гора +вода = пейзаж

水門 плотина
(shui[3] men[2])

Это буквальный перевод английского названия Уотергейтского скандала, который в 1970-х годах привел к отставке президента Никсона. Иероглиф долгое время использовался именно для описания этого инцидента. По-английски Уотергейт — «Водные ворота».
Вода + дверь = [буквально] водные ворота = плотина

口沫 плевок
(kou[3] mo[4])

Рот + пена = [буквально] пена изо рта = плевок

泉水 родниковая вода (quan[2] shui[3])

Родник + вода = родниковая вода

牛 корова (niu²)

Первоначальное значение этого иероглифа — «бык», но после смены каллиграфических стилей он стал означать «корова». Иероглиф, в состав которого входит элемент «корова», скорее всего, имеет отношение к упрямству.

牛 корова (niu²)

Такой вариант встречается в качестве составного элемента в некоторых иероглифах.

水牛 буйвол
(shui³ niu²)

Водяной буйвол с рогами полумесяцем был основным домашним животным южного Китая. Его использовали в сельскохозяйственных работах при выращивании риса.
Вода + корова = буйвол

天牛 жук-усач
(tian¹ niu²)

Жук-усач — черный с белыми точками на спине, напоминающими звезды в ночном небе.
Небо + корова = [буквально] небесная корова = жук-усач

вода   корова

буйвол

небо   корова

жук-усач

馬 лошадь (ma³)

Этот составной элемент традиционно выглядел как изображение лошади сбоку. Сейчас вы можете увидеть лишь туловище, хвост и ноги лошади. Упрощенная форма этого иероглифа — 马.

вопросительная частица

обвинять

врываться

мать

嗎 вопросительная частица (ma)

Этот иероглиф — комбинация иероглифов «рот» и «лошадь». Он используется в конце предложения для формирования общего вопроса. Упрощенное написание этого иероглифа — 吗.

罵 обвинять (ma⁴)

Этот иероглиф — сочетание иероглифов «крик» и «лошадь». Как глагол он имеет значение «обвинять», «оскорблять», «проклинать» или «ругать». Упрощенная форма этого иероглифа — 骂.

闖 врываться (chuang³)

Пиктографически этот иероглиф представляет собой изображение лошади, врывающейся в ворота. Упрощенное написание этого иероглифа — 闯.

媽 мать (ma¹)

Этот иероглиф — комбинация иероглифов «женщина» и «лошадь». Повторение этого иероглифа 媽媽 означает «мама». Упрощенная форма иероглифа — 妈.

玉 нефрит (yu[4])

В азиатской истории нефрит ценился выше серебра и золота как в денежном, так и в духовном выражении. Составной элемент для «нефрита» включает в себя нижнюю линию, символизирующую землю, верхнюю линию — небеса и среднюю, представляющую проявление небес на земле. В упрощенном написании китайских иероглифов и «нефрит», и «царь» считаются ключами. В некоторых иероглифах составной элемент 玉 «нефрит» не имеет точки и выглядит как составной элемент 王 «царь». Для примера смотрите иероглиф со значением «целый» на соседней странице.

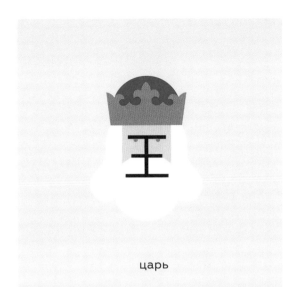

царь

страна

господин

целый

王 царь (wang²)

В азиатской истории нефрит украшал царей и знать и был символом красоты, изящества и чистоты.

国 страна (guo²)

Этот иероглиф — комбинация «нефрита» и составного элемента «окружать». Китай — страна нефрита. Это упрощенная форма написания иероглифа, полная форма — 國.

主 господин (zhu³)

Этот иероглиф первоначально имел значение «фитиль» или «факел», в наше время он имеет значение «господин», «владелец» или «хозяин».

全 целый (quan²)

Этот иероглиф — комбинация иероглифов «входить» и «царь» (в данном случае, кстати, используется иероглиф «нефрит»). Он обозначает имущество, собранное под одной крышей. Также имеет значение «полный» или «сокровище».

女王 царица (nu³ wang²)
Женщина + царь

国王 царь (guo² wang²)
Страна + царь

王国 царство
(wang² guo²)
Царь + страна

美国 США (mei³ guo²)
Красивая + страна

川 река (chuan¹)

Этот иероглиф похож на реку, протекающую меж двух берегов. Самая современная версия иероглифа состоит из трех вертикальных черт, обозначающих текущую реку. Он также может использоваться для обозначения провинции Сычуань, известной своими четырьмя реками.

州 область (zhou¹)

Добавьте три точки к трем линиям «реки», чтобы получить иероглиф «область», «штат».

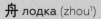 лодка (zhou[1])

Этот иероглиф — изображение старинного китайского деревянного судна, похожего на лодку-плоскодонку, на реке.

一 **один** (yi¹)

Это первый иероглиф, с которого начинается изучение китайского языка. Он означает «один».

二 **два** (er⁴)

Одна черта плюс еще одна черта — получается «два».

三 **три** (san¹)

Один плюс два равно «три».

四 **четыре** (si⁴)

Число четыре считается несчастливым, потому что по-китайски это слово звучит почти так же, как слово, обозначаемое иероглифом «смерть» 死 (si³).

五 **пять** (wu³)

Происхождение этого иероглифа спорно. Изначально он был похож на букву X.

六 **шесть** (liu⁴)

Число шесть в гуандунском диалекте означает «богатство», потому что по звучанию похоже на слово, обозначаемое иероглифом 祿 (lu⁴) «удача».

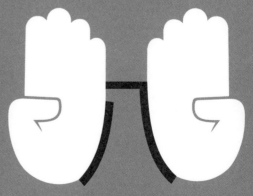

七 **семь** (qi[1])
Число семь приносит счастье влюбленным.

八 **восемь** (ba[1])
Число «восемь» в Азии считается одним из самых счастливых: оно звучит как первый иероглиф слова «благоденствовать»: 發財 (fa[1]cai[2]).

九 **девять** (jiu[3])
Иероглиф со значением «девять» когда-то был похож на иероглиф со значением «рука» 手 (см. стр. 100).

十 **десять** (shi[2])
Иероглиф «десять» указывает на полный комплект чего-либо. Мне нравится представлять его как римскую цифру X, закрывающую десяток.

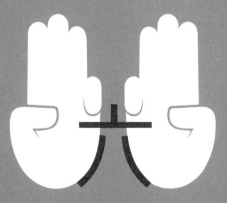

虫 насекомое
(chong²)

Этот иероглиф основан на изображении свернувшейся змеи: видите капюшон кобры? Также имеет значение «червь».
В составе сложных иероглифов он указывает, в частности, на насекомое, пресмыкающееся, земноводное или моллюска. Например, «змея» 蛇, «лягушка» 蛙, «моллюск» 蛤. Полная форма написания — 蟲 (см. стр. 127).

長 высокий/длинный (chang²)

Первоначальная форма этого иероглифа изображала человека с очень длинными волосами, передавая или значение «очень длинный», или понятие длины. Упрощенное написание иероглифа — 长.

賬 банковский счет/счет (zhang⁴)

Этот иероглиф состоит из элемента «раковина» (см. стр. 130), указывающего на значение иероглифа, и элемента «длинный», указывающего на его произношение (см. стр. 11). Раковины в Китае ассоциировались с богатством, отсюда и значение иероглифа. Его упрощенная форма — 账.

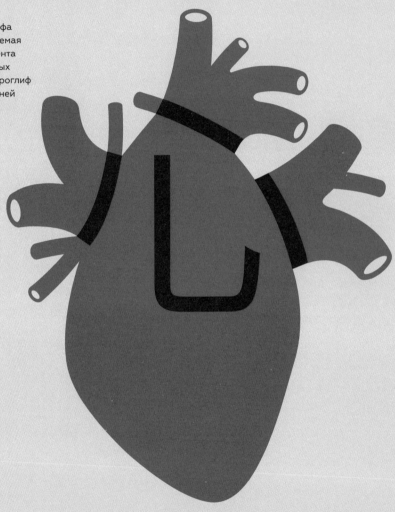

心 сердце (xin[1])

Этот иероглиф
первоначально изображал
сердце, но со временем
видоизменился.

┊ сердце
(вертикальный
элемент) (xin[1])

Это форма иероглифа
«сердце», используемая
в качестве компонента
в некоторых сложных
иероглифах (см. иероглиф
«бояться» на соседней
странице).

должен

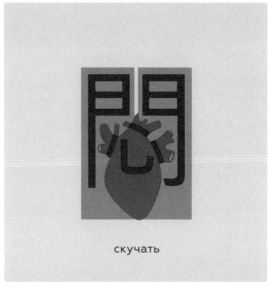

скучать

прощать

бояться

必 должен (bi⁴)

Этот иероглиф — комбинация «сердца» и черты (丿). Первоначальная форма иероглифа состояла из 八 и 戈 и означала «использовать дерево для зарубок».

安心 довольный (an¹ xin¹)
мирный + сердце (иероглиф «мирный» — см. стр. 93)

悶 скучать (men¹)

Этот иероглиф состоит из двух: «сердце», расположенное внутри «двери». Сердце стремится уйти, потому что оно скучает. Упрощенное написание иероглифа — 闷.

小心 осторожный (xiao³ xin¹)
маленький + сердце (иероглиф «маленький» — см. стр. 132)

恕 прощать (shu⁴)

Этот иероглиф — сочетание иероглифа «если» (см. иероглиф «подчиняться» на стр. 48) и «сердце». Спросите себя, способно ли ваше сердце прощать? Это немного устрашающая картинка.

全心 всем сердцем (quan² xin¹)
целый + сердце

怕 бояться (pa⁴)

Этот иероглиф — комбинация «сердца» и иероглифа «белый». Вспомните поговорку «побелел от страха».

刀 нож (dao[1])

Самой ранней формой
этого иероглифа
на гадательных костях
было изображение двух
ножей с двумя рукоятками.
Однако рукоятки
не были включены
в изображение после
реформы письменности.
Этот иероглиф может
использоваться при
обозначении предметов,
имеющих отношение
к ножам.

刂 нож (dao[1])

Эта форма «ножа»
используется в некоторых
сложных иероглифах
(см. иероглиф «грести»
на соседней странице).

грести

делить

болтливый

светить

划 грести (hua²)

Этот иероглиф — комбинация «оружия» (см. стр. 124) и «ножа». Также может иметь значение «тянуть» и «чиркать».

分 делить (fen¹)

Этот иероглиф показывает элемент «нож» под цифрой восемь и представляет нож, который разрезает нечто на две части (цифра восемь, как помните, обозначается двумя чертами).

叨 болтливый (dao¹)

Этот иероглиф — комбинация элементов «рот» и «нож», обозначающая болтовню или шум.

照 светить (zhao⁴)

Этот иероглиф — комбинация элементов «нож», «солнце», «рот» и «огонь». Он имеет значение «светить» или «освещать», когда выступает в роли глагола, или «яркий», если используется как прилагательное.

分心 отвлекаться (fen¹ xin¹)
делить + сердце

分明 ясно (fen¹ ming²)
делить + ясный

分子 молекула (fen¹ zi³)
делить + сын
(об иероглифе «сын» см. стр. 96)

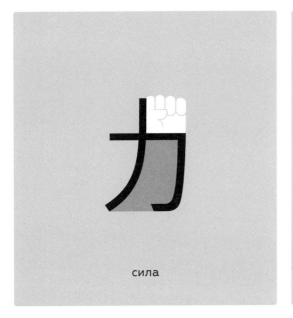

сила

добавлять

строить

управлять (машиной)

力 **сила** (li⁴)

Этот иероглиф первоначально имел значение «плуг». Чтобы тянуть плуг, нужны сильные животные. Позже это значение было расширено до силы (необходимой для работы с плугом).

加 **добавлять** (jia¹)

Этот иероглиф — комбинация элементов «сила» и «рот». Он также имеет значение «увеличивать» и является сокращенным названием штата Калифорния, США (см. ниже).

加州 **Калифорния** (jia¹ zhou¹)
Калифорния + штат

架 **строить** (jia⁴)

Этот иероглиф — сочетание иероглифов «добавлять» и «дерево». Он имеет значение «строить», «возводить» или «стоять», когда это слово выступает в роли глагола, и «по́лка», когда оно используется в роли существительного.

駕 **управлять (машиной)** (jia⁴)

Этот иероглиф — комбинация иероглифов «добавлять» и «лошадь». Он также имеет значение «ездить (на чем-либо)». Упрощенная форма — 驾.

豕 свинья (shi³)

Древнекитайский иероглиф «свинья», «боров» или «кабан» был изображением длинного свиного рыла, большого брюха, копыт и хвоста.

豬 свинья (zhu¹)

Это более распространенный ныне иероглиф для слова «свинья». Составной элемент «свинья» все еще заметен в его левой части.

крыша (mian²)

Составной элемент
«крыша» не употребляется
самостоятельно.
Он используется
в иероглифах, имеющих
отношение к архитектуре
или жилищу.

беда

мирный

тюрьма

дом

灾 беда (zai¹)

Этот иероглиф — комбинация «крыши» и «огня». Я полагаю, что любой человек, у которого горит крыша дома, сочтет это бедой. Это упрощенная форма, полная форма написания 災.

水灾 наводнение (shui³ zai¹)
вода + беда

安 мирный (an¹)

Это один из немногих позитивных иероглифов, включающих в себя элемент «женщина». Традиционно мирным был тот дом, в котором хозяйничала женщина.

火灾 пожар (huo³ zai¹)
огонь + беда

牢 тюрьма (lao²)

Первоначально этот иероглиф, сочетающий в себе «корову» и «крышу», в роли существительного имел значение «загон», но сейчас оно расширилось до значения «тюрьма».

天灾 природное бедствие (tian¹ zai¹)
небо + беда

家 дом (jia¹)

В Древнем Китае свиней выращивали дома, чтобы они были в безопасности. Свиньи в доме, таким образом, стали ассоциироваться с изобилием. Этот иероглиф также имеет значение «семья».

大家 все (da⁴ jia¹)
большой + дом

большой   дождь

ливень

雨 **дождь** (yu³)

Верхняя горизонтальная черта (一) изображает небо, а элемент 冂 олицетворяет пространство вне города. Иероглиф в целом изображает «воду, льющуюся за пределами города».

大雨 **ливень** (da⁴ yu³)

большой + дождь = [буквально] большой дождь = ливень

雨水 **дождевая вода** (yu³ shui³)

дождь + вода = дождевая вода

雨林 **тропический лес** (yu³ lin²)

дождь + роща = тропический лес

дождь   вода

дождевая вода

дождь   роща

тропический лес

子 сын (zi³)

Самая ранняя форма этого иероглифа на гадательных костях изображала ребенка с головой, двумя руками и одной ногой и имела значение «малыш», «младенец». Сейчас значение иероглифа расширилось до понятий «сын», «ребенок».

Кроме этого, иероглиф 子 часто используется как вспомогательный для слов, состоящих из одного иероглифа, или когда речь идет о маленьких предметах. Смотрите, например, слово «день» на соседней странице: в таких случаях он произносится как zi.

хорошо

иероглиф

слива

близнецы

好 хорошо (hao³)

Этот иероглиф — комбинация элементов «женщина» и «сын». В Древнем Китае от женщины в первую очередь требовалось родить сына, чтобы продолжить род своего мужа. Иероглиф также имеет значение «настолько».

子女 дети (zi³ nu³)
сын/ребенок + женщина

字 иероглиф, слово (zi⁴)

Этот иероглиф состоит из элементов «крыша» и «сын». Когда под крышей дома рождаются сыновья, это означает рост населения, что продлевает жизнь цивилизации: язык живет вместе с народом.

王子 принц (wang² zi³)
царь + сын

李 слива (li³)

Иероглифы «дерево» и «сын» составляют название сливового дерева. Слива цвела зимой и поэтому считалась выносливой и неприхотливой, как мальчик. Этот иероглиф также обозначает распространенную фамилию Ли.

日子 день (ri⁴ zi)
солнце/день + сын

孖 близнецы (zi¹)

Этот иероглиф состоит из двух элементов «сын». Рождение близнецов считалось либо хорошим, либо дурным знаком в зависимости от региона Китая.

好心 хорошее намерение (hao³ xin¹)
хорошо + сердце

目 глаз (mu⁴)

Традиционно
на гадательных костях этот
иероглиф изображался
в форме глаза, но в
надписях на печатях
он уже приобрел
прямоугольную форму
с прямыми линиями.

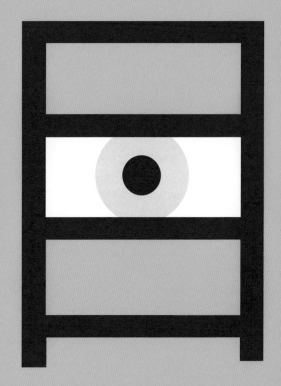

сам

запах

взаимный

слеза

自 сам (zi⁴)

Этот иероглиф когда-то имел значение «нос», но сейчас он означает «сам», «лично». Китайцы раньше указывали на свой нос, когда говорили о себе.

臭 запах (chou⁴)

Этот иероглиф — комбинация элементов «сам» (бывший «нос») и «собака». Первоначально он имел значение «нюхать», потому что нос собаки особенно чувствителен к запахам. С тех пор его значение эволюционировало, и сейчас он означает «запах».

相 взаимный (xiang¹)

Этот иероглиф — сочетание «дерева» и «глаза». Он означает «внимательно смотреть» или «наблюдать». В настоящее время он также имеет значение «взаимный» или «портрет».

泪 слеза (lei⁴)

Полная форма написания этого иероглифа — 淚, это комбинация элементов «вода» и «извращенный». Упрощенная форма его написания — комбинация «воды» и «глаза».

手 рука (shou³)

В надписях
на гадательных
костях этот иероглиф
был абстрактным
изображением пяти
пальцев и предплечья.

扌 рука (shou³)

Эта форма иероглифа
«рука» используется
в сложных иероглифах
в качестве бокового
элемента. Пример
его употребления
см. на соседней странице.

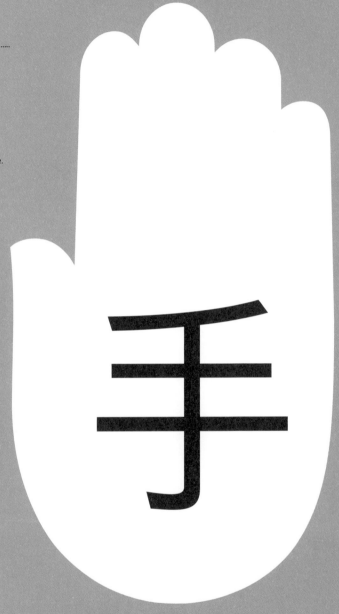

помогать

одеваться

хлопать

заниматься плагиатом

扶 помогать (fu²)

Конструкция этого иероглифа символизирует человека, поддерживаемого рукой. Он также может означать «поддерживать», «оказывать помощь», «защищать» или «опираться».

扶手 перила (fu² shou³)
помогать + рука

扮 одеваться (ban⁴)

Этот иероглиф — комбинация элементов «рука» и «разделять». Составной элемент слева указывает на значение сложного иероглифа, а иероглиф справа — на его произношение.

人手 рабочая сила (ren² shou³)
человек + рука

拍 хлопать (pai¹)

Этот иероглиф — сочетание элементов «рука» и «белый». «Рука» указывает на значение иероглифа, «белый» указывает на его произношение.

拍手 аплодировать (pai¹ shou³)
хлопать + рука

抄 заниматься плагиатом (chao¹)

Этот иероглиф — комбинация элементов «рука» и «мало» (см. стр. 133). Он в числе прочего означает «заниматься плагиатом» или «копировать».

小抄 шпаргалка (xiao³ chao¹)
маленький + копировать (иероглиф «маленький» — см. стр. 132)

красть

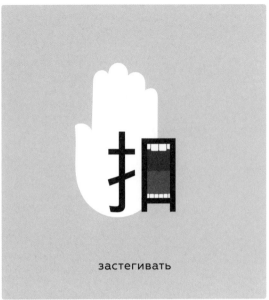

застегивать

связывать

искать

扒 **красть** (pa²)

Этот иероглиф — комбинация элемента «рука» и цифры восемь. Он первоначально означал «выкапывать», «ползать» или «согнуться» (и произносился как ba¹). Позже его значение расширилось до «украсть». Представьте, как вор, согнувшись, вытаскивает у вас из кармана кошелек.

扣 **застегивать** (kou⁴)

Этот иероглиф складывается из «руки» и «рта». У него много различных значений, например «сдерживать», «стучать», «ударять», «застегивать (пуговицы)», «застегивать (пряжку)», «вычитать», «арестовывать», «разбивать». В роли существительного он имеет значение «пуговица».

捆 **связывать** (kun³)

Этот иероглиф — комбинация элементов «рука» и «окружать» 困. Чтобы запомнить его, представьте связанные руки пленника.

找 **искать** (zhao³)

Этот иероглиф — сочетание «руки» и «оружия» (см. стр. 124). Он показывает руку, берущую оружие. Возможно, ее обладатель собирается найти сбежавшего пленника.

飞 летать (fei¹)

Этот иероглиф слегка
напоминает колибри
с длинным клювом.
Он также может иметь
значение «дротик» или
«мчаться». Это упрощенная
форма, полная форма его
написания — 飛.

戶 семья, домохозяйство (hu⁴)

Этот иероглиф изображает дверь с одной створкой. Он может использоваться для обозначения двери или окна, но обычно он передает понятие «семья» или «домохозяйство». Упрощенная форма его написания — 户.

大戶 богатая семья (da⁴ hu⁴)

Большая + семья

貧戶 бедная семья (pin² hu⁴)

Бедная + семья
«бедный» см. на стр. 131

賬戶 банковский счет (zhang⁴ hu⁴)

Счет + семья

网 сеть (wang³)

Это упрощенная форма написания иероглифа «сеть». Полная форма 網 не была в употреблении до реформы китайской письменности. Традиционная форма состоит из составных элементов 糸 («шелк») слева (указывает на материал) и 罔 («сеть»/«обманывать») справа (указывает на произношение и значение иероглифа).

....

罒 сеть (wang³)

Эта форма элемента «сеть» используется в некоторых сложных иероглифах. Иногда из-за особенностей почерка пишущего он может выглядеть как иероглиф 四 («четыре»). Пример употребления этого элемента в иероглифе «покупать» см. на стр. 131.

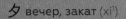 вечер, закат (xi¹)
Этот иероглиф изображает
заходящее солнце.

много

мечта

имя

годы

多 много (duo¹)

Этот иероглиф состоит из двух элементов «вечер». Получается накопление времени. Накопление подразумевает «много».

多少 сколько? (duo¹ shao³)
много + слишком мало
иероглиф «мало»
см. на стр. 133

梦 мечта (meng⁴)

Этот иероглиф — комбинация элементов «роща» и «вечер». Это упрощенная форма его написания. В традиционном написании 夢 он состоит из элементов «глаз» 目 и «вечер» 夕 и означает человека, мечтающего с закрытыми глазами.

名 имя (ming²)

Этот иероглиф состоит из элементов «вечер» и «рот». С наступлением вечера родители зовут детей домой, выкликая их имена. Он также имеет значение «знаменитый».

岁 годы (sui⁴)

Этот иероглиф — комбинация элементов «гора» и «вечер». Это его упрощенная форма, полная форма выглядит как 歲. Самое частое употребление 歲 — для обозначения возраста человека, например — 歲 означает «ему один год».

言 **говорить** (yan²)

В надписях
на гадательных костях
и бронзовых сосудах
форма этого иероглифа
была очень схожа
с иероглифом 舌, который
означает «язык» (орган).
Разница состояла
в дополнительной
короткой горизонтальной
черте в верхней части
иероглифа, указывающей,
что в действии участвует
язык. Этот иероглиф также
имеет значение «речь» или
«разговаривать».

⸺⸺⸺⸺⸺

讠 **говорить** (yan²)

Эта форма элемента
«говорить» употребляется
в некоторых иероглифах
с упрощенным написанием.
Как самостоятельный
иероглиф не встречается.

письмо/вера

считать

подробный

язык

信 письмо/вера (xin⁴)

Этот иероглиф, состоящий из элементов «человек» и «говорить», первоначально имел значение «человеческая речь», позже стал обозначать «письмо» или «вера». А вы верите всему, что вам говорят?

自信 *самоуверенность* (zi⁴ xin⁴)

сам + вера

計 считать (ji⁴)

Комбинация составного элемента «речь» и числа десять имеет значение «считать» или «рассчитывать». Если вы можете считать до десяти, то вам уже подвластен простой математический счет. Упрощенная форма — 计.

相信 *верить* (xiang¹ xin⁴)

взаимный + вера

詳 подробный (xiang²)

Этот иероглиф — сочетание составных элементов «говорить» и «баран». Как глагол он имеет значение «внимательно наблюдать». Как прилагательное он означает «подробный» или «крошечный». Как существительное — «детали» или подробности». Упрощенная форма его написания — 详.

日本語 *японский язык* (ri⁴ ben³ yu³)

японский + язык

語 язык, слова (yu³)

Этот иероглиф — комбинация составных элементов «говорить» и «я, сам». Второй элемент сочетает в себе число пять и «рот». Упрощенная форма — 语.

國語 *государственный язык* (guo² yu³)

государство + язык

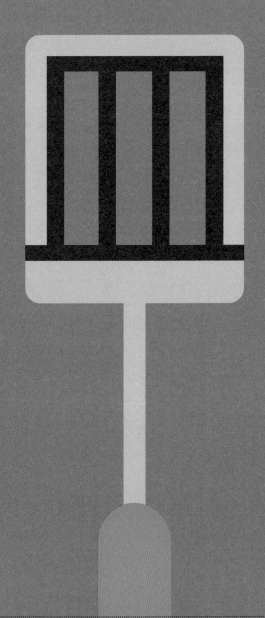

Ⅲ блюдо, сосуд
(min³)

Самая ранняя форма этого иероглифа выглядела как кубок или сосуд на подставке. После письменной реформы кубок исчез из изображения. Иероглиф служит для обозначения тарелок, чашек и другой посуды.

己 сам (ji³)

Похожий на извитую
веревку, этот иероглиф
имеет значение «сам»,
«себя».

....

自己 сам (zi⁴ ji³)

Сам + сам

己 здесь используется
только в качестве
своеобразного суффикса
и не влияет на значение
иероглифа 自 («сам»,
см. стр.99). Примеры
употребления этого слова:

我 (я) + 自己 (сам) = я сам
你 (ты) + 自己 (сам) = ты сам
他 (он) + 自己 (сам) = он сам

辶 шагать (chuo⁴)

Этот иероглиф
не употребляется
самостоятельно. Если вы
встретите его в составе
сложного иероглифа,
имейте в виду, что речь
идет о чем-то связанном
с ходьбой.

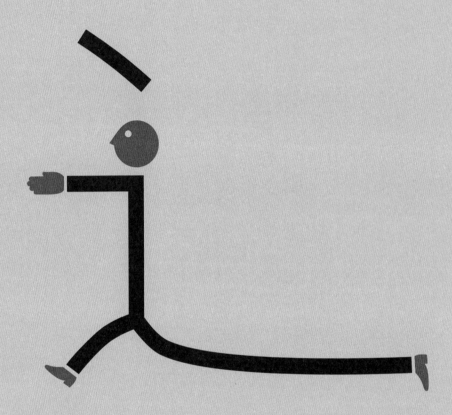

достигать

гулять

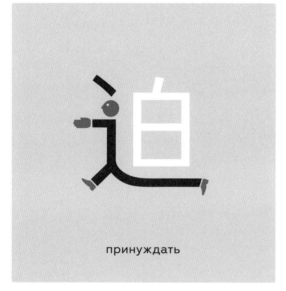

принуждать

это

达 **достигать** (da²)

Это упрощенная форма написания иероглифа. Комбинация составных элементов «шагать» и «большой», указывающая на достижение пункта назначения после долгого пути. Полная форма написания — 達.

达人 **эксперт** (da² ren²)
достигать + человек

逛 **гулять** (guang⁴)

Этот иероглиф — комбинация из элемента «шагать» и иероглифа «сумасшедший» 狂, который, в свою очередь, состоит из элементов «собака» и «царь». Можно предположить, что тратить время на бесцельные прогулки может позволить себе только сумасшедший. Упрощенная форма — 逛.

狂犬 **бешеная собака** (kuang² quan³)
сумасшедший + собака

迫 **принуждать** (po⁴)

Сочетание элементов «шагать» и «белый», упрощенная форма. Иероглиф также имеет значение «приближаться», «заставлять» и «срочный», когда выступает в роли прилагательного. Полная форма его написания — 迫.

這 **это** (zhe⁴)

Полная форма этого иероглифа состоит из элементов «шагать» и «говорить». А упрощенная 这 — из элементов «шагать» и «литература» 文.

土 почва (tu³)

Представьте себе, что
нижняя горизонтальная
линия — это горизонт,
а крест над ней — либо
растение, либо какое-то
сооружение, возведенное
человеком. На этот элемент
очень похож составной
элемент «воин» 士 (см.
с. 116), но у того нижняя
горизонтальная линия
короче креста.

土 также означает
«землю», один из пяти
основных элементов.
Когда иероглиф «почва»
используется в качестве
прилагательного,
особенно в современной
прозе, он обозначает
что-то примитивное,
приземленное.

в

живот

сидеть

прекрасный

在 в (zai⁴)

Этот иероглиф — комбинация «таланта» 才 и «почвы». «Талант» указывает на произношение иероглифа, а «почва» — на значение (см. с. 11). Первоначально этот иероглиф имел значение «существовать», но затем он стал означать местоположение — «в» и «на».

自在 несдержанный (zi⁴ zai⁴)
сам + в

肚 живот (du⁴)

Это сочетание элементов «плоть» и «почва». Живот — место, куда попадают плоды земли. Этот иероглиф может также произноситься как du³.

大肚子 беременная (da⁴ du⁴ zi)
большой + живот + сын/ребенок

坐 сидеть (zuo⁴)

Этот иероглиф показывает двух человек, сидящих на земле.

坐在 сидеть в (zuo⁴ zai⁴)
сидеть + в

佳 прекрасный (jia¹)

Этот иероглиф — комбинация составных элементов «человек» и двух элементов «почва». Он также имеет значение «хороший» или «приятный».

佳人 красивая женщина (jia¹ ren²)
прекрасный + человек

士 воин (shi⁴)

Этот иероглиф имеет много значений, в частности «воин». Он представляет собой комбинацию элементов «один» и «десять» и обозначает человека, который может сделать все от начала до конца.

志 воля (zhi⁴)

Это сочетание иероглифов «воин» и «сердце». Когда воин стремится к чему-либо всем сердцем, он настроен решительно. Решительно настроен победить.

土 ученый (shi⁴)

В Древнем Китае военачальники зачастую были также и учеными; Конфуций писал, что правитель должен быть и мудрым, и решительным. «Ученый» — еще одно значение иероглифа 土.

吉 удачливый (ji²)

Этот иероглиф — комбинация «ученого» и «рта». Ученых в Древнем Китае очень уважали, они принадлежали к высшим слоям общества. Когда ученый открывает рот, все, что он говорит, несет благо.

⊞ поле (tian²)

Этот иероглиф изображает
кусок земли, на котором
выкопаны каналы для
орошения в форме креста.
Он имеет значение
«поле» или «ферма»
и входит в состав сложных
иероглифов, имеющих
отношение к сельскому
хозяйству и охоте.

гром

из / по причине

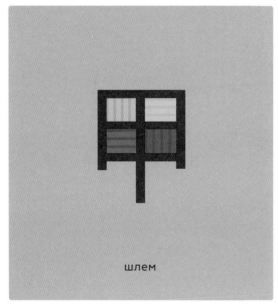

шлем

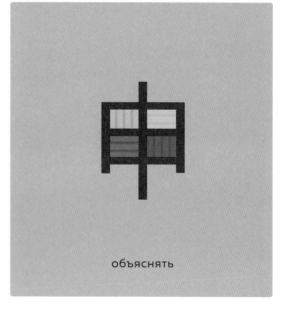

объяснять

雷 гром (lei^2)

Этот иероглиф состоит из элементов «поле» и «дождь». В надписях на гадательных костях он изображал гром (в виде круга и точек внутри него) и молнию.

由 из / по причине (you^2)

Это иероглиф «поле» с удлиненной центральной вертикальной линией, олицетворяющей дорогу к полю.

甲 шлем (jia^3)

Первоначально этот иероглиф изображал проклюнувшееся семя и имел значение «кожа». Из-за схожести его произношения с произношением иероглифа «доспехи» он также обозначает «шлем».

申 объяснять (shen^1)

В надписях на гадательных костях этот иероглиф выглядел как молния во время дождя и имел значение «молния».

нефть

богатый

ли

мужчина

油 нефть (you²)

Этот иероглиф состоит из элементов «вода» и «поле» и указывает на жидкость из минералов под землей, нефть.

富 богатый (fu⁴)

Этот иероглиф — комбинация элементов «крыша», «один», «рот» и «поле». Он подразумевает богатую семью, живущую в хорошем доме, полном имущества.

里 ли, единица длины (li³)

Этот иероглиф, сочетание элементов «поле» и «почва», имел значение «деревня». Со временем он стал означать расстояние, на которое простирается деревня. (Ли примерно равно 500 метрам.)

男 мужчина (nan²)

Этот иероглиф — комбинация составных элементов «поле» и «сила». В древние времена на полях работали мужчины. В настоящее время иероглиф обозначает мужественность, которая ассоциировалась с ручным трудом.

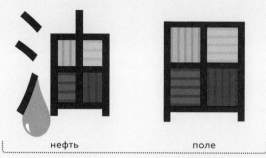

нефть   поле

нефтяное месторождение

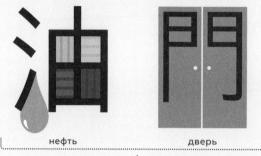

нефть   дверь

педаль газа / ускоритель

добавлять   нефть

дозаправить

богатый   дом   женщина

девушка из богатой семьи

油田 нефтяное месторождение (you² tian²)

Нефть + поле = нефтяное месторождение

油門 педаль газа / ускоритель (you² men²)

Нефть + дверь = [буквально] нефтяная дверь = педаль газа

加油 дозаправить (jia¹ you²)

Это слово также имеет значение «вперед», когда необходимо подстегнуть кого-то на пути к победе. Добавлять + нефть = [буквально] добавить нефти = дозаправить

富家女 девушка из богатой семьи (fu⁴ jia¹ nu³)

Богатый + дом + женщина = девушка из богатой семьи

弓 лук (gong[1])

Этот иероглиф изначально имел форму лука (оружия), а в современном виде напоминает лук без тетивы.

弱 слабый, хрупкий (ruo[4])

Этот иероглиф — дважды повторенная комбинация иероглифов «лук» и «лед» (см. стр. 146).

酉 сосуд для вина
(you³)

Этот иероглиф сначала
имел форму кувшина
и обозначал «вино». Позже
он изменил свое значение
на «винный сосуд».
Этот составной элемент
используется в сложных
иероглифах со значением
брожения.

酒 вино (jiu³)

Этот иероглиф —
комбинация «воды»
и «сосуда для вина» 白酒.

戈 оружие (ge¹)

Этот иероглиф изображает оружие, похожее на боевой топор, с длинным горизонтальным лезвием и длинной рукояткой.

我 я/меня (wo³)

Этот иероглиф, комбинация элементов «рука» и «оружие», имеет значение «меня», «мне» и «я». Самый полезный иероглиф из тех, в чей состав входит элемент «оружие».

鹿 олень (lu⁴)

В надписях
на гадательных костях
этот иероглиф изображал
оленьи рога и четыре ноги.

犇 спасаться бегством (ben[1])

Три коровы вместе означают «спасаться бегством», «мчаться». Представьте себе стадо коров, убегающих от хищника. Упрощенная форма написания этого иероглифа — 奔.

猋 вихрь (biao[1])

Три собаки вместе означают «вихрь». Вспомните собак, носящихся вокруг ваших ног.

麤 грубый (cu[1])

Три оленя вместе имеют значение «грубый», «шероховатый» или «большой».

羴 дурной запах, вонь (shan[1])

Три барана вместе означают «неприятный запах». Много животных вместе никогда не пахнут хорошо.

驫 табун лошадей (biao[1])

Три лошади вместе означают «табун лошадей».

蟲 жуки (chong[2])

Полная форма написания иероглифа «жуки» или «черви», состоящая из трех элементов «насекомое». Это самая распространенная форма использования 虫 в традиционном полном написании. Иероглиф также имеет значение «насекомые».

⌗ трава (сао³)

Как и составной элемент
со значением «шагать»,
элемент «трава» никогда
не употребляется
самостоятельно. Он
встречается только как
часть сложного иероглифа.
Если вы увидите его
в составе сложного
иероглифа, то это знак,
что речь идет о чем-то
имеющем отношение
к флоре или фауне.

трава

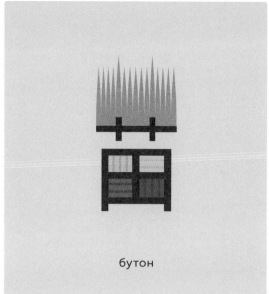

бутон

чай

горький

草 трава (cao^3)

Этот иероглиф — комбинация элементов «трава» и «рано» 早, имеет значение «трава» или «травы».

苗 бутон (miao^2)

Этот иероглиф — сочетание составных элементов «трава» и «поле». Он похож на бутоны, раскрывающиеся в полях.

茶 чай (cha^2)

Этот иероглиф — комбинация элементов «трава», «дерево» и элемента, похожего на иероглиф «человек», может быть переведен как «чайное дерево». Первоначальная форма этого иероглифа 荼 означала «горькая трава».

苦 горький (ku^3)

Этот иероглиф — сочетание элементов «трава» и «старый». Старое растение обычно неприятно на вкус. Этот иероглиф также имеет значение «страдания, невзгоды».

貝 раковина (bei[4])

В надписях на гадательных костях и печатях этот иероглиф изображал раскрытую раковину. В Древнем Китае раковины часто использовались в качестве денег и как украшение. Поэтому этот иероглиф также имеет значение «деньги», «валюта». Упрощенная форма его написания — 贝.

покупать

продавать

бедный

поздравлять

買 покупать (mai³)

Этот иероглиф — комбинация «сети» и «раковины». Это связано с использованием сети для сбора раковин, которыми потом можно было оплатить покупки. Упрощенная форма — 买.

買賣 коммерция
(mai³ mai⁴)
покупать + продавать

賣 продавать (mai⁴)

Этот иероглиф — сочетание элементов «ученый», «сеть» и «раковина». Первоначально он был комбинацией иероглифов «выходить» и «покупать», означавшей избавление от ранее сделанных приобретений путем их продажи. Упрощенная форма написания иероглифа — 卖.

買主 клиент (mai³ zhu³)
покупать + хозяин

貧 бедный (pin²)

Этот иероглиф — комбинация элементов «делить» и «раковина». Поскольку раковины некогда служили платежным средством, разделить раковину на несколько частей значило стать беднее. Упрощенная форма этого иероглифа — 贫.

買回 выкупать обратно
(mai³ hui²)
покупать + возвращаться

賀 поздравлять
(he⁴)

Этот иероглиф — сочетание «прибавлять» и «раковины». Поздравления в Китае часто сопровождались дарением денег. Упрощенная форма написания — 贺.

買家 покупатель
(mai³ jia¹)
покупать + дом

小 маленький (xiao³)

В то время как иероглиф «большой» (大) изображает человека, широко раскинувшего руки, чтобы казаться больше, иероглиф со значением «маленький» первоначально изображал человека, ставшего на колени и прижавшего руки к телу, чтобы выглядеть маленьким.

мало

острый

пыль

внук

少 мало (shao³)

Этот иероглиф первоначально имел значение «мало», «минус», «немного», «меньше». Позже он также стал означать «молодой». У него есть еще один вид произношения — shao⁴.

小人 злодей (xiao³ ren²)
маленький + человек

尖 острый (jian¹)

Этот иероглиф — комбинация иероглифов «большой» и «маленький». Он имеет значение «острый», «остроконечный» или «пронзительный». Представьте треугольник, широкий в основании и постепенно сужающийся к вершине.

大小 размер (da⁴ xiao³)
большой + маленький

尘 пыль (chen²)

Этот иероглиф — сочетание иероглифов «маленький» и «почва». Это упрощенная форма написания иероглифа, полная его форма — 塵, комбинация иероглифов «олень» и «почва». Он напоминает о пыли, которую поднимает бегущее стадо оленей.

孙女 внучка (sun¹ nu³)
внук + женщина

孙 внук (sun¹)

Этот иероглиф — сочетание элементов «маленький» и «ребенок» (данный иероглиф может означать и мальчика, и девочку). Это упрощенная форма его написания, полная форма 孫 — комбинация элементов «система» (系) и «сын», символизирующая на непрерывность рода.

孙子 внук (sun¹ zi)
внук + сын

кот

утка

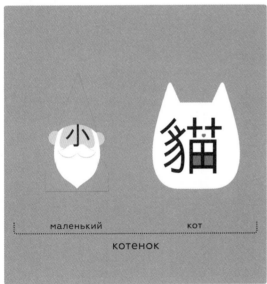

маленький · кот

котенок

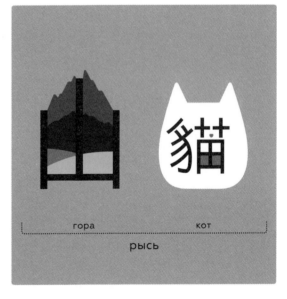

гора · кот

рысь

貓 кот (mao¹)

Этот иероглиф — комбинация «червяка» 豸 и «бутона». Его упрощенная форма написания — 猫, сочетание «собаки» и «бутона».

鴨 утка (ya¹)

Этот иероглиф — сочетание составных элементов «шлем» и «птица». Селезень выглядит так, будто он надел зеленый шлем. Упрощенная форма написания этого иероглифа — 鸭.

小貓 котенок (xiao³ mao¹)

Очень простое слово: маленькая кошка — это котенок маленький + кот = котенок

山貓 рысь (shan¹ mao¹)

Рысь — один из видов диких кошек, узнаваемый по ушам с кисточками. Рысь обычно встречается в высокогорных лесах гора + кот = рысь

貓王 Элвис Пресли (mao¹ wang²)

кот + царь

鬼 привидение (gui³)
Первоначальная форма иероглифа изображала человека с ужасным дьявольским лицом. Этот составной элемент встречается в иероглифах, имеющих отношение к суевериям.

小鬼 чертёнок
(xiao² gui³)
Маленький + привидение

勹 обертывать (bao[1])

Этот составной
элемент имеет
значение «обертывать»,
«обматывать». Наиболее
часто встречающаяся
форма — 包.

предложение

служебное слово, обозначающее: а) качественный признак; б) принадлежность

равномерный

равный

句 предложение (ju⁴)

В надписях на гадательных костях этот иероглиф был комбинацией «веревки» Ч и «рта». В отличие от слова 句子 (см. ниже), которое обычно имеет в виду конкретное предложение, он используется при счете (например, «есть десять предложений»).

句子 предложение (ju⁴ zi)
предложение + сын

的 служебное слово, обозначающее: а) качественный признак; б) принадлежность (de)

Этот иероглиф — комбинация элементов «белый» и «обертывать». Один из наиболее часто употребляемых иероглифов.

好的 да (hao³ de)
хорошо + служебное слово (de)

勻 равномерный (yun²)

Этот иероглиф может также иметь значение «делить». Сочетание элементов «обертывать» и числа два означает относиться ко всему одинаково.

均勻 распределять равномерно (jun¹ yun²)
равный + равномерный

均 равный (jun¹)

Этот иероглиф — комбинация элементов «почва» и «равномерный»/«делить». Он указывает на равномерное распределение земли.

几 сколько (ji³)

Это упрощенная форма иероглифа со значением «сколько», полная форма его написания — 幾. Он сочетает в себе элементы 幺 («несколько») и «защита» 戍. Первоначально означал «тонкий», «стройный». У этого иероглифа несколько значений и несколько способов произношения. Как существительное — «край» (ji¹), как наречие — «почти» (ji¹), как глагол — «достигать» — (ji¹), в качестве местоимения — «несколько» (ji³).

机 механизм (ji¹)

Этот иероглиф — комбинация элементов «дерево» и «сколько» (древние механизмы были деревянными). Полная форма его написания — 機.

обычный

счетное слово для цветов

феникс (самец)

феникс (самка)

凡 обычный (fan²)

В надписях на гадательных костях и бронзовых сосудах этот иероглиф обозначал строительный прибор. В те времена он также имел значение «форма для изготовления предметов», позже приобрел значение «обычный».

几天 несколько дней (ji³ tian¹)

сколько + небо/день

朵 счетное слово для цветов (duo³)

Этот иероглиф — комбинация элементов «сколько» и «дерево». Он используется как счетное слово только для цветов.
几朵花? обозначает «сколько цветов?» (ji³ duo³ hua¹).

几天? сколько дней? (ji³ tian¹)

сколько + небо/день

鳳 феникс (самец) (feng⁴)

Этот иероглиф — сочетание элементов «сколько» и «птица». В китайской мифологии феникс — царь птиц, символ удачи. Упрощенная форма написания иероглифа — 凤.

好几 несколько (hao³ ji³)

хорошо + сколько/несколько

凰 феникс (самка) (huang²)

Этот иероглиф — комбинация элементов «сколько», «белый» и «царь», обозначает самку феникса в китайской мифологии.

十几 более десятка (shi² ji³)

десять + сколько/почти

厶 **частный, собственный** (si[1])

На протяжении тысячи лет своего существования этот иероглиф выглядел как абстрактное изображение, поэтому я думаю, что иллюстрация верно передает его значение. У иероглифа есть еще один вариант произношения: mou[3].

общественный

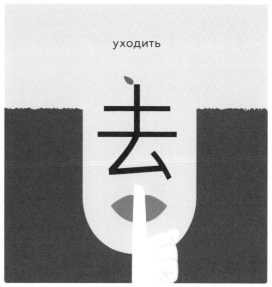

уходить

сосна

трибуна

公 **общественный** (gong¹)

Этот иероглиф является комбинацией элементов «восемь» и «частный». В сочетании 公公 он также имеет значение «дедушка» или «самец», когда речь идет о животных.

去 **уходить** (qu⁴)

Этот иероглиф — сочетание элементов «частный» и «почва». Обозначает отъезд из какого-либо места.

松 **сосна** (song¹)

Этот иероглиф — комбинация элементов «дерево» и «общественный». Другой иероглиф с таким же произношением 鬆 может иметь значение «отдыхать» или «свободный».

台 **трибуна** (tai²)

Этот иероглиф — сочетание элементов «частный» и «рот». Обычно оратор в одиночку стоит на трибуне и выступает с речью. Другая форма полного написания этого иероглифа — 臺.

公安 **полиция (КНР)** (gong¹ an¹)
общественный + мирный

警察 **полиция (Тайвань)** (jing³ cha²)
полиция + расследовать

公主 **принцесса** (gong¹ zhu³)
общественный + госпожа

示 показывать (shi⁴)

Этот иероглиф первоначально имел значение «каменный стол для жертвоприношений». В древние времена жертвоприношения демонстрировали преданность и поклонение богам. Поэтому иероглиф 示 означает «показывать», «демонстрировать».

礻 показывать (shi⁴)

Эта форма элемента «показывать» используется как составной элемент в некоторых иероглифах. Пример такого использования вы увидите в иероглифе «благоприятный» на соседней странице.

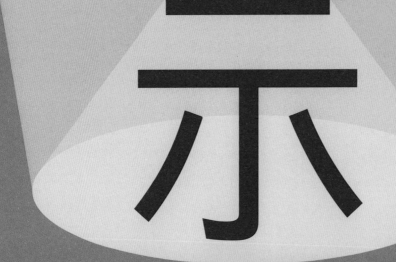

благоприятный

общество

бог

благословение

祥 благоприятный (xiang²)

Этот иероглиф — комбинация элементов «показывать» и «баран» — имеет значение «знамение», «удача» и «счастье». Люди часто приносили в жертву баранов, чтобы привлечь удачу.

神社 храм (shen² she⁴)
Бог + общество

社 общество (she⁴)

Этот иероглиф — комбинация элементов «показывать» и «почва», первоначально он обозначал место поклонения богам, с тех пор его значение изменилось на «общество» или «компания».

安祥 безмятежный (an¹ xiang²)
мирный + благоприятный

神 бог (shen²)

Этот иероглиф — сочетание элементов «показывать» и «объяснять». Бог всемогущ и всеведущ, он раскрывает все тайны.

福 благословение (fu²)

Этот иероглиф — сочетание элементов «показывать», «рот», «поле» и числа один. Он также имеет значение «удача» или «благословение». В дни празднования китайского Нового года его часто пишут на красной бумаге.

千 щит (gan[1])

Упрощенная форма этого иероглифа — комбинация составных элементов для цифр «один» 一 и «десять» 十; полная форма его написания — 幹. В надписях на гадательных костях иероглиф имел форму похожего на вилы оружия, которое использовали как для нападения, так и для защиты. В наши дни этот иероглиф, кроме устаревшего значения «щит», имеет значение «нарушать», «вмешиваться», а его упрощенная форма также может означать «сухой», «делать».

пот

плоский

год

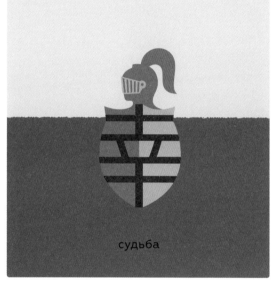

судьба

汗 пот (han⁴)

Этот иероглиф — комбинация элементов «вода» и «щит/сухой», указывает на то, что человек иссушен, потому что вся жидкость из его тела вышла в виде пота.

平安 безопасный
(ping² an¹)
плоский/спокойный + мирный

平 плоский (ping²)

Этот иероглиф — сочетание «щита» и цифры восемь. Он также имеет значение «спокойный», «равный», «уровень».

幸福 счастье (xing⁴ fu²)
судьба + благословение

年 год (nian²)

Этот иероглиф обозначает время, за которое Земля оборачивается вокруг Солнца. Например, сочетание 一 年 имеет значение «один год». Он также имеет значение «новый год» или «ежегодный». Состоит из элементов «зерно», «рис» и «тысяча».

幸 судьба (xing⁴)

Этот иероглиф — комбинация «щита» 干, «почвы» 土 и счастливого числа восемь 丷. Первоначально этот иероглиф имел значение «пытка», сейчас он означает «судьба» или «удача».

冫 лед (bing¹)

Иероглиф не встречается
самостоятельно, он
служит частью сложных
иероглифов. Он похож
на две капли воды.

лед

замороженный

зима

скакать галопом

冰 лед (bing¹)

Этот иероглиф — комбинация составных элементов «лед» и «вода», то есть «замерзшая вода».

冰水 означает «ледяная вода».

凍 замороженный (dong⁴)

Это сочетание элемента «лед» и иероглифа «восток». Основная часть побережья Китая лежит на востоке, зимой оттуда приплывают льдины. Упрощенная форма написания иероглифа — 冻.

冬 зима (dong¹)

Этот иероглиф — комбинация элементов «медленный» 夂 (он выглядит так же, как и элемент «сумерки», но с длинной откидной чертой) и «лед». Буквальный перевод — «медленный лед», подразумевается медленное нарастание льда зимой.

馮 скакать галопом (ping²)

Этот иероглиф — сочетание элемента «лед» (передающего произношение) и иероглифа «лошадь», он имеет значение «скакать галопом». Иероглиф также используется как фамилия Фэн. Упрощенная форма написания — 冯.

欠 задолжать, недоставать (qian⁴)

Самая ранняя форма иероглифа в надписях на гадательных костях изображала коленопреклоненного человека с широко раскрытым ртом. Иероглиф имел значение «зевать».

После письменной реформы широко раскрытый рот стал неразличим. Тем не менее значение иероглифов, в состав которых входит 欠, часто связано с открытым ртом и дыханием. Когда человек зевает, это означает, что он устал и ему не хватает энергии. Поэтому более широкое значение 欠 — «недоставать», «не хватать», оно часто встречается в современном китайском языке.

дуть

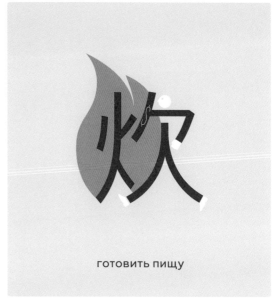

готовить пищу

последовательность

Европа

吹 дуть (chui[1])

Этот иероглиф — комбинация элементов «рот» и «задолжать/недоставать». В данном случае последний имеет значение «зевать».

炊 готовить пищу (chui[1])

Этот иероглиф — сочетание «огня» и элемента «задолжать/недоставать». Глядя на этот иероглиф, я представляю себе человека, который раздувает огонь (火), которого ему не хватает для приготовления пищи.

次 последователь-ность, количе-ство (ci[4])

Этот иероглиф — комбинация «льда» и «задолжать/недоставать». Это счетное слово, которое показывает, сколько раз происходило какое-либо действие либо событие. Например, 二次 означает «дважды».

歐 Европа (ou[1])

Этот иероглиф — сочетание элементов «регион» 區 и «задолжать/недоставать». Произношение этого иероглифа схоже с произношением слова «Европа». Упрощенная форма — 欧.

Ҍ кинжал (bi³)

Этот иероглиф напоминает
рукоятку кинжала или
эфес меча.

⊬ оно (ta¹)

Эта комбинация элементов
«крыша» и «кинжал» имеет
значение «оно».

сравнивать

превращаться

палец

цветок

比 сравнивать (bi³)

Этот иероглиф состоит из двух «кинжалов» и похож на двух людей, идущих рядом, плечом к плечу. В наши дни он имеет значение «сравнивать».

化 превращаться (hua⁴)

Этот иероглиф — комбинация элементов «человек» и «кинжал». Часто встречается в словах, имеющих отношение к химии, особенно когда речь идет о химических элементах и веществах. Он также имеет значение «таять», «превращать».

指 палец (zhi³)

Это сочетание элементов «рука» и «цель/предназначение» 旨 (последний, в свою очередь, комбинация «кинжала» и «солнца»). Пальцы делают ваши руки ловкими. Иероглиф также имеет значение «указывать», когда выступает в качестве глагола.

花 цветок (hua¹)

Этот иероглиф — комбинация элемента «трава» и иероглифа «превращаться». Иногда неприметная травка дает чудесные цветы.

Предложения

Какая прекрасная принцесса
好美的公主 (стр. 97, 41, 137, 141)

Такое длинное предложение
好長的句子 (стр. 97, 85, 137)

Пот дурно пахнет
好臭的汗 (стр. 97, 99, 137, 145)

Божье указание
神的指示 (стр. 143, 137, 151, 142)

Счастливая женщина из Шаньдуна
幸福的山東女人 (стр. 145, 143, 137, 54)

Все будьте осторожны!
大家小心 (стр. 93, 87)

Красивая девушка
美少女 (стр. 41, 133, 46)

Рыба такая свежая!
魚好鮮 (стр. 25, 97, 41)

Холодная красавица
冰山美人 (стр. 147, 42, 41, 16)

Ягненок возвращается домой
小羊回家 (стр. 132, 40, 23, 93)

Все в безопасности
人人平安 (стр. 21, 145)

Слишком часто идет дождь
雨水太多 (стр. 95, 19, 107)

Маленький принц
小王子 (стр. 132, 97)

Внук растет
孫子長大 (полная форма написания), 孙子长大 (упрощенная форма написания)
(стр. 133, 85, 17)

Женщина после пластической операции
人工美女 (стр. 61, 41, 46)

Милая госпожа Ли
大好人李太太 (стр. 17, 97, 16, 19)

Младшая сестра едет в Японию
妹妹去日本 (стр. 48, 141, 55)

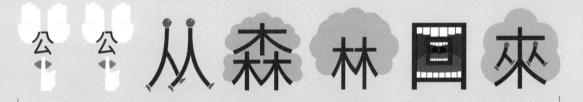

Сколько стоит этот цветок?
這朵花賣多少? (стр. 113, 139, 151, 131, 107, 133)

Дедушка вернулся из леса
公公從森林回來 (полная форма написания); 公公从森林回来 (упрощенная форма)
(стр. 141, 17, 33, 37)

林夫人五月回去

Госпожа Линь возвращается в мае
林夫人五月回去 (стр. 33, 18, 82, 56, 23, 141)

Мама беременна
媽媽大肚子 (стр. 77, 115)

Этот маленький шалопай хлопает в ладоши
小子拍手 (стр. 132, 96, 101)

Русалка-принцесса разрыдалась
人魚公主大哭 (стр. 24, 141, 27)

От богатой девочки плохо пахнет
富家女太臭 (стр. 121, 19, 99)

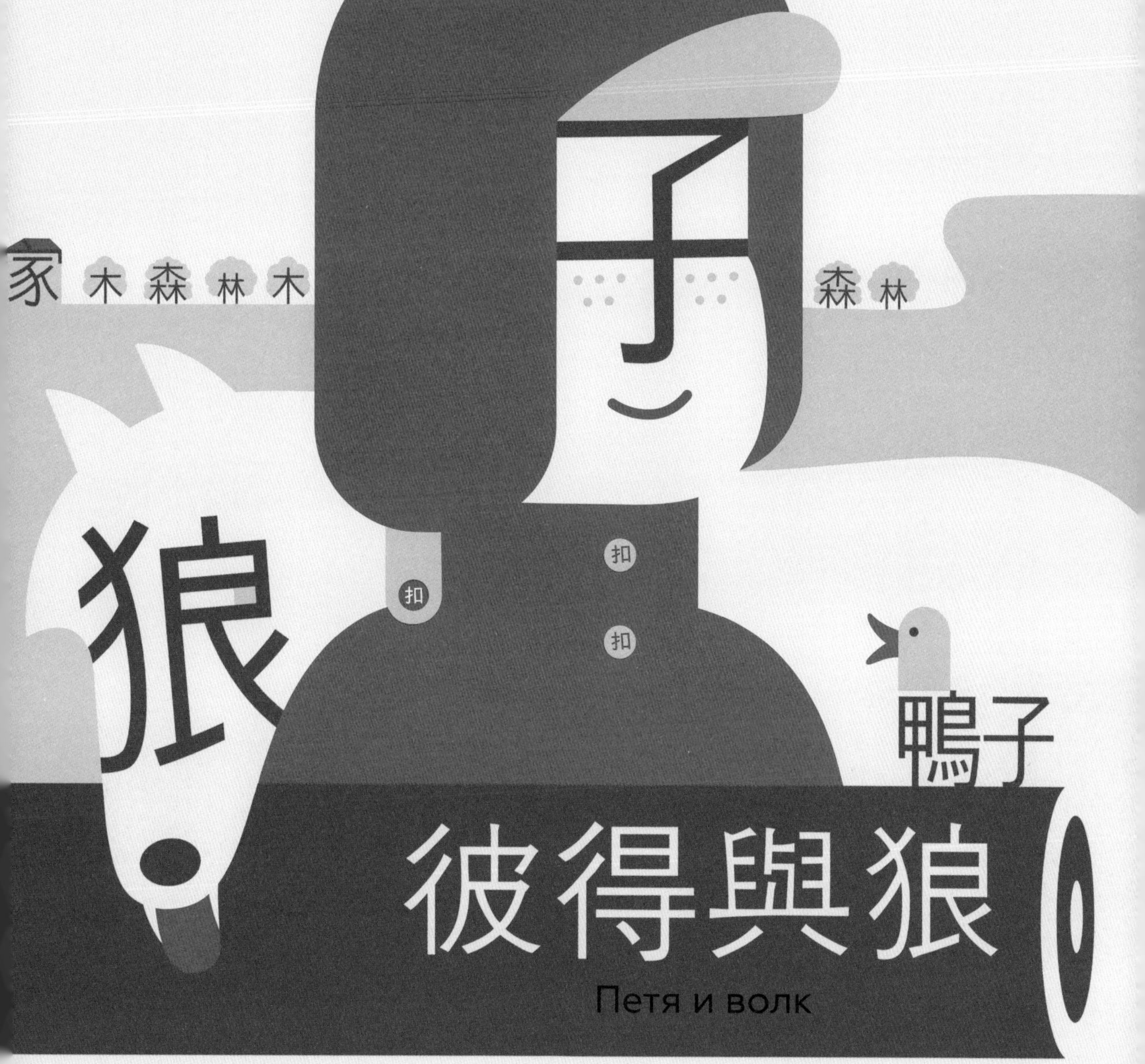
家
木
森
林
木
森
林
子
狼
扣
扣
扣
鴨子
彼得與狼
Петя и волк

Мальчик Петя

Дедушка

Утка

Птичка

Волк

Охотник

Кошка

Рано утром мальчик Петя открыл калитку
и вышел на большую зеленую лужайку.

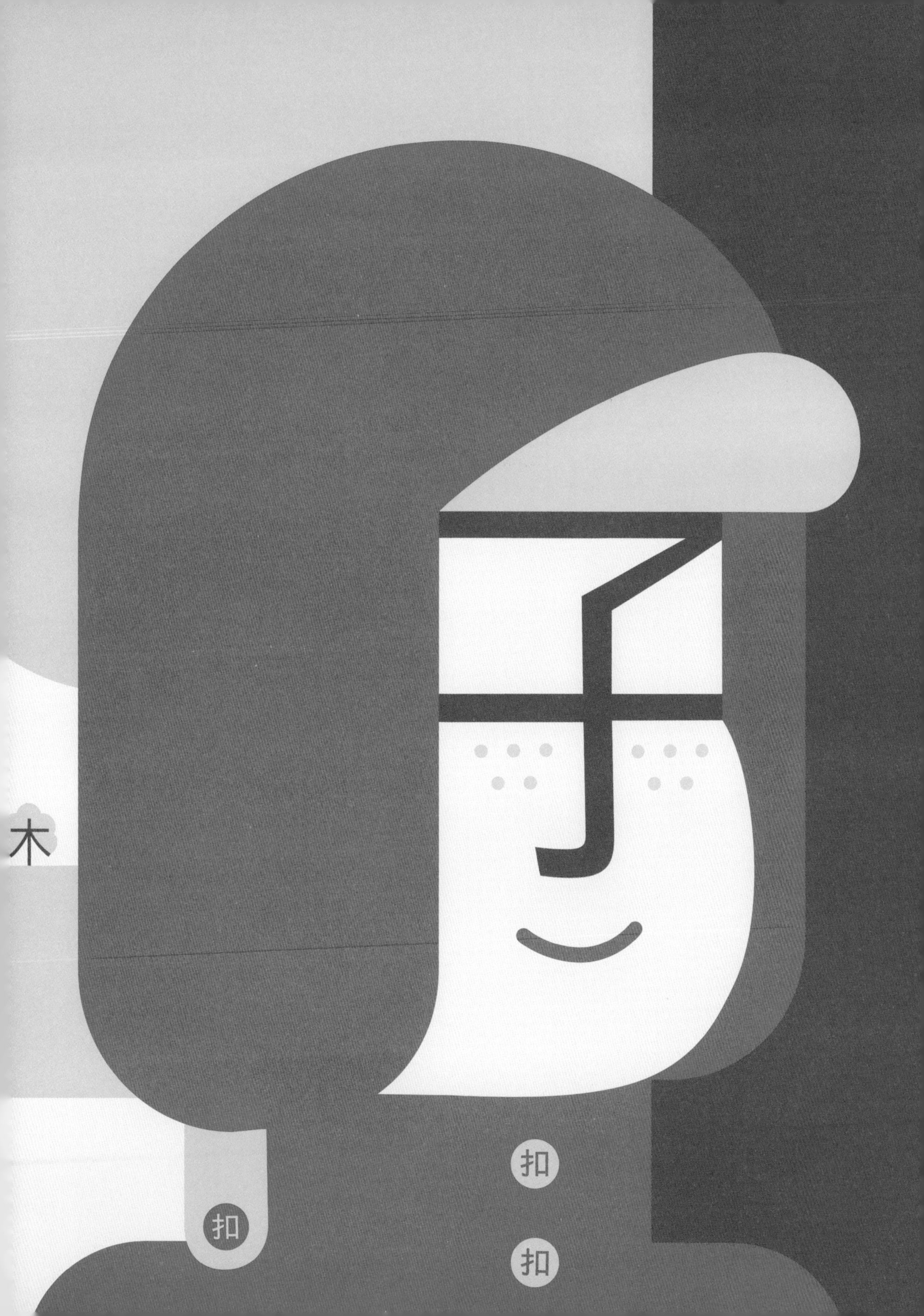
木
扣
扣
扣

Вслед за Петей, переваливаясь с боку на бок, показалась утка. Она обрадовалась, что Петя не закрыл калитку, и решила выкупаться в глубокой луже на лужайке.

Увидев утку, на траву слетела птичка, села рядом с уткой и пожала плечами.

«Какая же ты птица, если ты летать не умеешь?» — сказала птичка, на что утка ответила: «А какая же ты птица, если ты плавать не умеешь?»

架 ➤ 鴨子

Они еще долго спорили и не видели,
что по траве крадется кошка.

«Берегись!» — крикнул Петя. И птичка
мигом вспорхнула на дерево. А утка
из середины своей лужи сердито
закрякала на кошку.

鳥 吱吱

木

呱呱 鴨子

祖父子 森

扣

扣

扣 扣

Вышел дедушка. Дедушка сердился, что Петя ушел за калитку. «А если из лесу придет волк? Что тогда?»

Петя не придал никакого значения словам дедушки и заявил, что не боится волков.

Но дедушка взял Петю за руку, увел домой и крепко запер калитку. И тут из лесу показался огромный серый волк.

呱呱

鴨子

Кошка мигом полезла на дерево. Утка
закрякала и бросилась вон из лужи.
Но как она ни бежала, а волк бежал
быстрей. Вот он догнал ее, схватил
и проглотил.

Между тем Петя, который видел все происходящее, нисколько не испугался. Он взял веревку и влез на высокий забор, а с него на дерево, вокруг которого ходил волк. Петя попросил птичку отвлечь волка, а сам, сделав на дереве петлю, осторожно спустил ее вниз, накинул волку на хвост и затянул.

扣

Волк старался вырваться. Но петля только
туже затягивалась на его хвосте.

В это время из лесу показались охотники.
Они шли по следам волка. Охотники
стреляли из ружей.

Но Петя сказал : «Не стоит стрелять.
Мы с птичкой уже поймали волка».

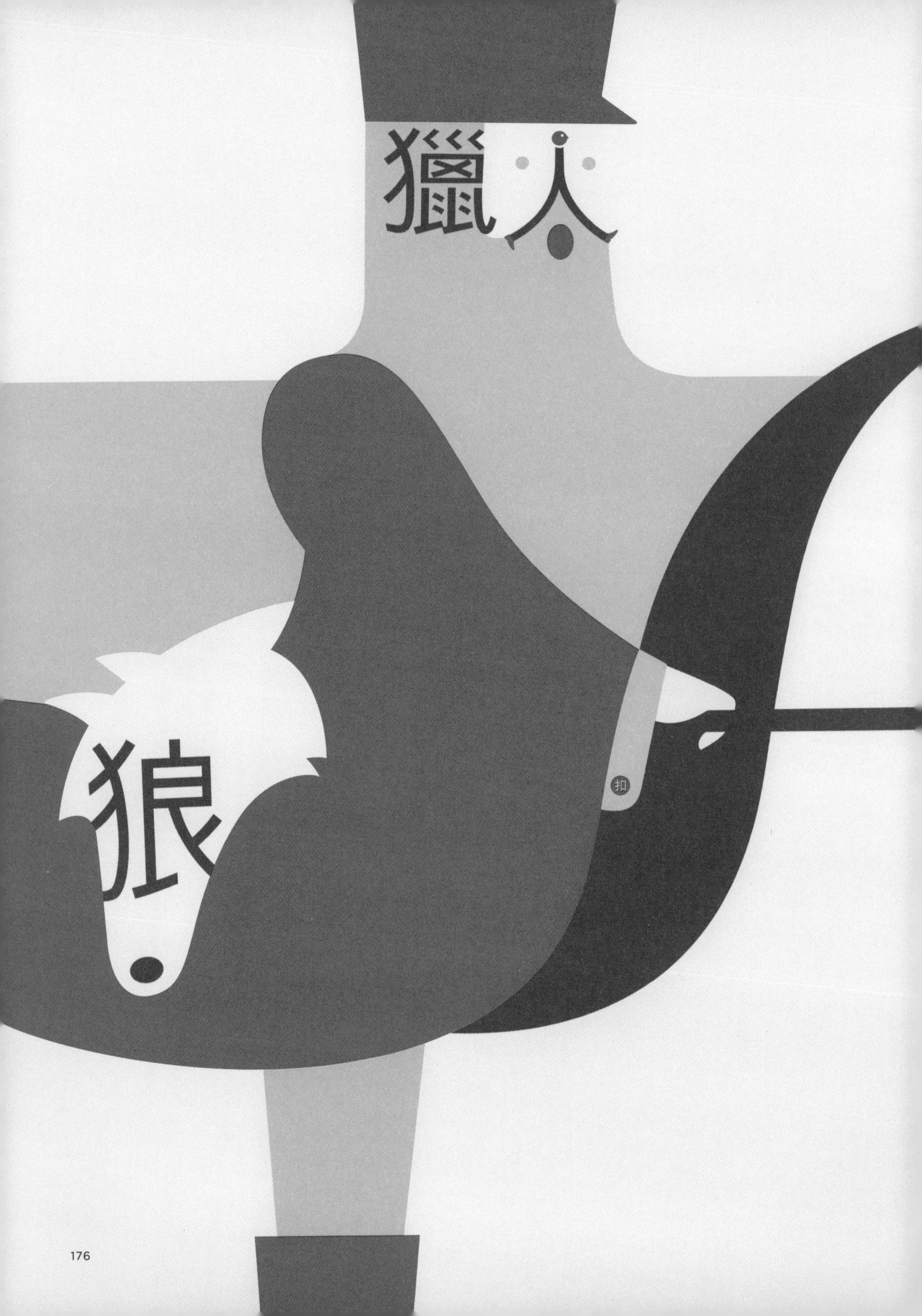
獵人
狼
扣

И, крепко связав волка, Петя и охотники
повезли его в ближайший зоосад.

馬

扣

扣

扣

貓

終

三 три (san[1])

Один плюс два
равно трем

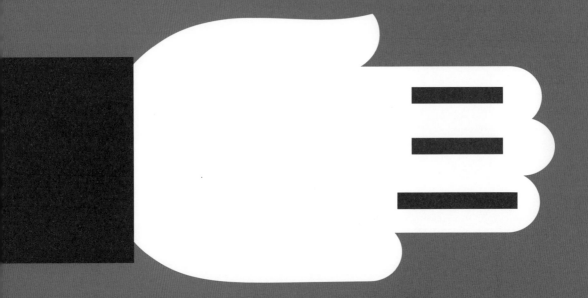

3

СПРАВКА

Таблица составных элементов
Указатель слов и иероглифов

Таблица составных элементов

人 человек (ren²)　　16

天 небо (tian¹)　　20

口 рот (kou³)　　22

魚 рыба (yu²)　　25

犬 собака (quan³)　　26

火 огонь (huo³)　　28

木 дерево (mu⁴)　　32

竹 бамбук (zhu²)　　39

羊 баран, овца (yang²)　40

山 гора (shan¹)　　42

女 женщина (nu³)　　46

鳥 птица (niao³)　　50

羽 перо (yu³)　　51

日 солнце/день (ri⁴)　　52

月 луна (yue⁴)　　56

工 работа (gong¹)　　60

白 белый (bai²)   62

虎 тигр (hu³)   64

門 дверь (men²)   66

水 вода (shui³)   70

牛 корова (niu²)   74

馬 лошадь (ma³)   76

玉 нефрит (yu⁴)   78

川 река (chuan¹)   80

舟 лодка (zhou¹)   81

一 один (yi¹)   82–83

虫 насекомое (chong²)   84

長 высокий/длинный (chang²)   85

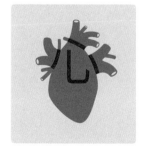

心 сердце (xin¹)   86

刀 нож (dao¹)   88

豕 свинья (shi³)   91

宀 крыша (mian²)   92

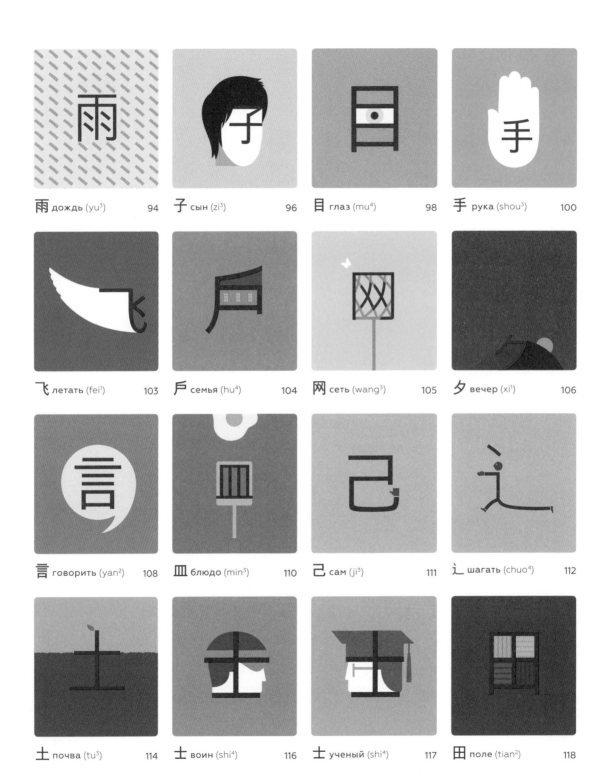

雨 дождь (yu³)   94

子 сын (zi³)   96

目 глаз (mu⁴)   98

手 рука (shou³)   100

飞 летать (fei¹)   103

戶 семья (hu⁴)   104

网 сеть (wang³)   105

夕 вечер (xi¹)   106

言 говорить (yan²)   108

皿 блюдо (min³)   110

己 сам (ji³)   111

辶 шагать (chuo⁴)   112

土 почва (tu³)   114

士 воин (shi⁴)   116

士 ученый (shi⁴)   117

田 поле (tian²)   118

弓 лук (gong¹)   122

酉 сосуд для вина (you³)   123

戈 оружие (ge¹)   124

鹿 олень (lu⁴)   125

艹 трава (cao³)   128

貝 раковина (bei⁴)   130

小 маленький (xiao³)   132

鬼 привидение (gui³)   135

勹 обёртывать (bao¹)   136

几 сколько (ji³)   138

厶 частный (si¹)   140

示 показывать (shi⁴)   142

干 щит (gan¹)   144

冫 лед (bing¹)   146

欠 задолжать, недоставать (qian⁴)   148

匕 кинжал (bi³)   150

Указатель слов и иероглифов

В Chineasy использованы в основном иероглифы полного написания (см. стр. 11). В тех случаях, когда полная форма иероглифа отличается от упрощённой, первой даётся полная форма иероглифа, затем — упрощённая. Если о различии между двумя формами написания не упоминается — значит, полная и упрощённая формы в данном случае совпадают.

出來/出来	выходить (chu¹ lai²)	44
出	выходить (chu¹)	43
大門/大门	главный вход (da⁴ men²)	68
目	глаз (mu⁴)	98
笨	глупый (ben⁴)	39
言	говорить (yan²)	108
年	год (nian²)	145
歲/岁	годы (sui⁴)	107
山	гора (shan¹)	42
苦	горький (ku³)	129
主	господин (zhu⁴)	79
太太	госпожа (как обращение) (tai⁴ tai⁴)	19
夫人	госпожа, супруга (fu⁴ ren²)	18
國語/国语	государственный язык (guo² yu³)	109
炊	готовить пищу (chui¹)	149
划	грести (hua²)	89
雷	гром (lei²)	119
大吠	громко лаять (da⁴ fei⁴)	27
大哭	громко плакать (da⁴ ku¹)	27
麤	грубый (cu¹)	126
伙	группа людей (huo⁴)	29
逛/	гулять (guang⁴)	113
好的	да (hao³ de)	137
二	два (er⁴)	82
屾	две горы (shen¹)	43
門口/门口	дверной проем (men² kou³)	68
門/门	дверь (men²)	66
富家女	девушка из богатой семьи (fu⁴ jia¹ nu³)	121
九	девять (jiu³)	83
分	делить (fen¹)	89
白天	день (bai² tian¹)	63
日子	день (ri4 zi)	97
木	дерево (mu⁴)	32
十	десять (shi²)	83
子女	дети (zi³ nu³)	97
加	добавлять (jia¹)	90
安心	довольный (an¹ xin¹)	87
雨水	дождевая вода (yu³ shui³)	95

雨	дождь (yu³)	94
加油	дозаправить (jia¹ you²)	121
必	должен (bi⁴)	87
家	дом (jia¹)	93
達/达	достигать (da²)	113
大器	достижение/щедрость (da⁴ qi⁴)	27
因	дочь (nan¹)	48
朋	друг (peng²)	57
呆	дурак (dai¹)	36
羴	дурной запах, вонь (shan¹)	127
吹	дуть (chui¹)	149
歐/欧	Европа (ou¹)	149
啖	есть (dan⁴)	29
未	еще нет (wei⁴)	36
婪	жадность (lan²)	48
膽/胆	желчный пузырь (dan³)	57
女人	женщина (nu³ ren²)	49
女	женщина (nu³)	46
肚	живот (du⁴)	115
山東人 / 山东人	житель провинции Шаньдун (Shan¹ dong¹ ren²)	54
山東女人 / 山东女人	жительница провинции Шаньдун (Shan¹ dong¹ nu³ ren²)	54
天牛	жук-усач (tian¹ niu²)	75
明日	завтра (ming² ri⁴)	59
欠	задолжать, недоставать (qian⁴)	148
凍/冻	замороженный (dong⁴)	147
抄	заниматься плагиатом (chao¹)	101
臭	запах (chou⁴)	99
扣	застегивать (kou⁴)	102
冬	зима (dong¹)	147
小人	злодей (xiao³ ren²)	133
字	иероглиф, слово (zi⁴)	97
由	из / по причине (you²)	119
出品	издавать (chu¹ pin³)	44
名	имя (ming²)	107
找	искать (zhao³)	102
天天	каждый день (tian¹ tian¹)	21
加州	Калифорния (jia¹ zhou¹).	90

分心	отвлекаться (fen¹ xin¹)	89
閒/閑/闲	отдых (xian²)	67
休	отдыхать (xiu¹)	38
指	палец (zhi³)	151
炎炎	палящий (yan² yan²)	30
大門口 / 大门口	парадные ворота (da⁴ men² kou³)	68
油門 / 油门	педаль газа / ускоритель (you² men²)	121
山水	пейзаж (shan¹ shui³)	73
沫	пена (mo⁴)	71
本來/本来	первоначально (ben³ lai²)	34
扶手	перила (fu² shou³)	101
羽	перо (yu³)	51
信	письмо/вера (xin⁴)	109
哭	плакать (ku¹)	27
焰	пламя (yan⁴)	29
焰焰	пламя огня (yan⁴ yan⁴)	30
口沫	плевок (kou³ mo⁴)	73
平	плоский (ping²)	145
水門/水门	плотина (shui³ men²)	73
如	повиноваться (ru²)	48
詳/详	подробный (xiang²)	109
火災/火灾	пожар (huo³ zai¹)	93
賀/贺	поздравлять (he⁴)	131
示	показывать (shi⁴)	142
買家/买家	покупатель (mai³ jua¹)	131
買主/买主	покупатель (mai³ jua¹)	131
買/买	покупать (mai³)	131
田	поле (tian²)	118
公安	полиция (КНР) (gong¹ an¹)	141
警察	полиция (Тайвань) (jing³ cha²)	141
扶	помогать (fu²)	101
來人/来人	посланник (lai² ren²)	34
次	последовательность, количество (ci⁴)	149
器	посуда (qi⁴)	27
汗	пот (han⁴)	145
土	почва (tu³)	114
化	превращаться (hua⁴)	151
句子	предложение (ju⁴ zi)	137
句	предложение (ju⁴)	137
佳	прекрасный (jia¹)	115
鬼	привидение (gui³)	135
迫/迫	принуждать (po⁴)	113
王子	принц (wang² zi³)	97
公主	принцесса (gong¹ zhu³)	141
天災/天灾	природное бедствие (tian¹ zai¹)	93
來/来	приходить (lai²)	33
查	проверять (cha¹)	53
山東/山东	провинция Шаньдун (Shan¹ dong¹)	54
賣/卖	продавать (mai⁴)	131
間/间	пространство/помещение (jian¹)	67
恕	прощать (shu⁴)	87
鳥/鸟	птица (niao3)	50
唬	пугать (hu³)	64
炎	пылающий (yan²)	29
塵/尘	пыль (chen³)	133
五	пять (wu³)	82
工	работа (gong¹)	60
女工	работница (nu³ gong¹)	61
人手	рабочая сила (ren² shou³)	101
工人	рабочий (gong¹ ren²)	61
匀	равномерный (yun²)	137
均	равный (jun¹)	137
大小	размер (da⁴ xiao³)	133
貝/贝	раковина (bei⁴)	130
均匀	распределять равномерно (jun¹ yun²)	137
川	река (chuan¹)	80
江	река (jiang¹)	71
泉	родник, фонтан (quan²)	71
泉水	родниковая вода (quan² shui³)	73
口	рот (kou³)	22
口	рот (kou³)	22
林	роща (lin²)	33
手	рука (shou³)	100
人工	рукотворный (ren² gong¹)	61
人魚/人鱼	русалка (ren² yu³)	24

Благодарности

Проект Chineasy — результат моего стремления научить моих дочерей Мулань (慕嵐) и Муань (慕安) читать на китайском языке и ценить китайскую культуру, а также желания убедиться, что я смогу справиться с грандиозной задачей расшифровки моего родного языка.

Благодаря Бруно Джусани и Крису Андерсону я получила возможность рассказать о своем проекте на конференции TED перед гораздо более широкой аудиторией, чем предполагала. Я хочу поблагодарить Гари Шейнвальда, Дарио Пескадора и Роберта Лесли за их постоянную поддержку, конструктивную критику и за то, что они подбадривали меня все четыре месяца, что я готовилась к этому выступлению.

Криспин Джонсон и его команда Brave New World проделали замечательную работу по реализации проекта. Я получила огромное удовольствие от сотрудничества с Нома Баром, чьи удивительные иллюстрации вдохнули жизнь в Chineasy. Помощь менеджера проекта Изабеллы Шопфер была жизненно важной. Я также хочу поблагодарить Димпл Насвани, которая заботится обо мне в течение последних шести лет.

По мере того как все больше людей присоединялось к проекту, он становился все масштабнее. Бесконечные обсуждения каждой иллюстрации и каждой детали дизайна с Криспином и Нома, дизайнерами Дарреном Перри, Кариссой Чань и моим научным ассистентом Ванессой Люй (呂佳樺) вошли у меня в привычку, и я до сих пор приношу «домашнюю работу на проверку» Мулань и Муань. Иногда мне кажется, что они ко мне чересчур строги.

Я также хотела бы сказать спасибо Джудит Гринбери, благодаря которой, собственно, и решила написать эту книгу. В феврале 2014 года ей исполнилось 90 лет, и я хочу поздравить ее с прошедшим днем рождения.

В ходе всего проекта многие люди поддерживали меня и помогали мне: Мирон Шолес, Сюзан Бёрд, Лулу Ван, Билл Кросс, Чейз Джарвиз, Тим Феррис, Стефан Сагмейстер, Филипп Роули и семья У. Всем вам большое спасибо.

Наконец, Лукас Дитрих из издательства Thames & Hudson предоставил мне возможность быть полезной тем, кто готов отправиться вместе со мной в это увлекательное путешествие.

Я уехала из дома в четырнадцать лет и понеслась вокруг света, пытаясь понять себя, найти свое место в мире. Я искала ответы, бродя босиком по джунглям Амазонки, ночуя в пустыне Ботсваны под хохот гиен и рычание львов, испытывая себя на прочность в самых разных уголках планеты, отличавшихся весьма тяжелым климатом. После всех этих поисков я наконец поняла, что ответ на мой вопрос находится там, откуда я начала путь, — дома. Я надеюсь, что теперь мои мама, каллиграф Линь Фэнцзы (林峰子), и папа, художник-керамист Сюэ Жуйфан (薛瑞芳) смогут перестать беспокоиться о своей непокорной дочери, поскольку я нашла свое место в жизни и воспитываю уже собственных непокорных дочерей.

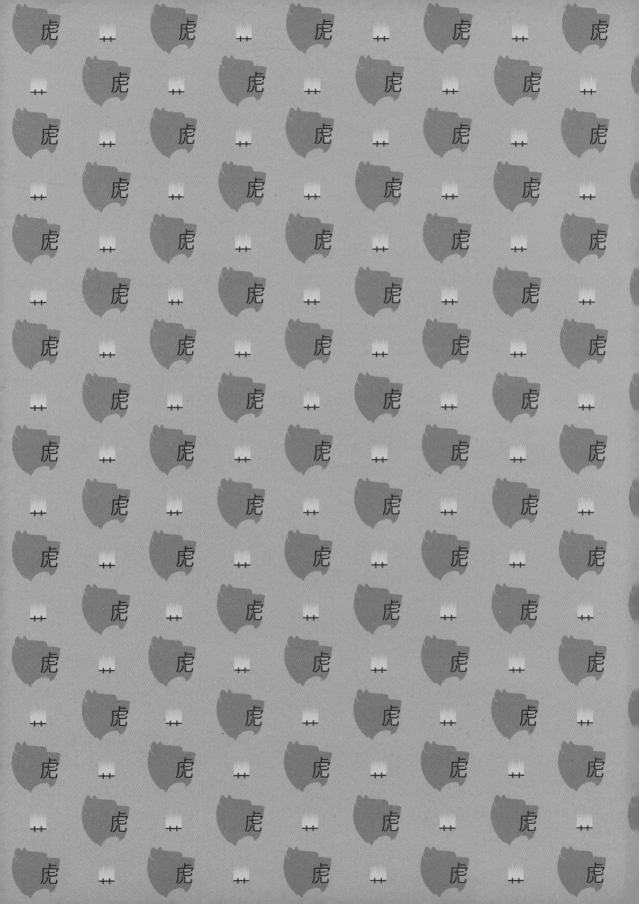